VIVIR DEL TEATRO

VICENTE LEÑERO

Vivir del teatro

CONTRAPUNTOS

Las ilustraciones de este libro son
de Alberto Castro Leñero

Primera edición, diciembre de 1982
D. R. © Editorial Joaquín Mortiz, S. A.
Tabasco 106, Colonia Roma, Delegación
Cuauhtémoc, México D. F. 06700
ISBN 968-27-0460-X

O teatro o silencio.

RODOLFO USIGLI

PRIMERA LLAMADA

Don Juan
Tenorio

Los comprábamos en algún puesto del mercado Miraflores que se extendía a lo largo de la Calle 17 de San Pedro de los Pinos, o en la tienda de abarrotes de la avenida Revolución, frente a la oficina de Correos. Costaban cuando mucho una moneda de dos centavos y la variedad era inagotable: el Narigón, el Charro, el Anciano, la Anciana, el Cocinero, el Jorobado, la Bella... Solamente la cabeza, las manos y los pies eran de barro; los trozos de tela daban forma a los cuerpos y elasticidad a los brazos, a las piernas. Bastaba sostenerlos desde la punta del alambre que les nacía de la cabeza, agitarlos un poco, para que cobraran vida.

Con mi hermano Luis jugaba a los títeres como jugar a los soldaditos de plomo, sin idea alguna de la composición dramática o de la mecánica teatral. Entonces llegaba mi padre:

—No, así no. Van a ver.

Sobre la cama matrimonial de su cuarto mi padre amontonaba almohadas y cojines para improvisar un escenario maravilloso. El Jorobado se convertía en Enrique de Lagardere y el Narigón perdía su aire de monstruo cuando mi padre le prestaba su voz para hacerlo declamar:

> Al fin y al cabo, ¿qué es, señora, un beso?
> Un juramento hecho de cerca;
> un subrayado de color de rosa
> que al verbo amar añaden; un secreto
> que confunde el oído con la boca...

Por conducto de los títeres de alambre que flotaban sobre la cama matrimonial me enteré de la existencia de Cyrano, de las aventuras del Conde de Montecristo, de la historia de Nostradamus.

Luego creí que decir teatro era decir *Don Juan Tenorio*. Año tras año, todos los noviembres, mi padre reservaba un palco en el Arbeu o en el Iris o en el Fábregas para aplaudir con toda la familia a Julio Villarreal, a veces a José Luis Jiménez, en la representación del Zorrilla. Casi nunca veíamos caer el telón final. Ya cuando don Juan Tenorio empezaba a recitar su "clemente Dios gloria a ti" mi madre se había levantado y nos urgía a escapar del bochornoso espectáculo de la gloria, donde los ángeles del cielo al que llegaba el pecador arrepentido eran representados por hermosas vicetiples en paños menores. Mientras los ángeles bailaban en el foro, salíamos del teatro acompañados por los refunfuños de mi madre:

—No sé qué necesidad tienen de meter siempre estos bailecitos, echan a perder la obra. Una obra tan moral, tan bonita, tan clásica.

Un día, Luis y yo decidimos construir nuestro propio teatro. De la tienda de don León, en la esquina de Avenida Dos y Calle Trece, nos trajimos un cajón de madera y desclavando y reacomodando tablas empezamos a armar un foro para los títeres de alambre. Estábamos en ésas cuando Armando, el hermano mayor, nos llegó con la noticia: él y el primo Héctor se habían anticipado a nuestra idea. También con tablas de cajones inservibles, pero a mayor escala, habían construido y hasta pintado de verde un teatro perfecto. Contaba con un sistema de iluminación elemental pero efectivo: un enchufe de luz, empotrado en el centro del frontispicio y apuntado hacia el foro, en el que se atornillaba un foco de veinticinco o cuarenta watts. El telón que corría lateralmente y cerraba al centro había sido confeccionado por hermanas y primas con una tela de satín azul a la que remataba, en su parte inferior, una franja de terciopelo negro. A telón cerrado, con el foco encendido, se podían realizar impresionantes juegos de luces envolviendo el foco en capuchones de papel de china verde, rojo, amarillo, que teñían el telón de variadísimos tonos y constituían por sí mismos todo un espectáculo. El teatro tenía entradas de títeres a derecha e izquierda y en el centro del proscenio se levantaba la diminuta concha para el apuntador. Armando y Héctor lo bautizaron con el nombre de Teatro la Mariposa porque a Héctor se le ocurrió pintar en el frente una mariposa de alas abiertas bajo cuyo cuerpo de cartón se ocultaban los alambres del sóquet para el foco.

De inmediato nos dimos cuenta de que el teatro quedaba

grande, y era demasiado teatro además, a nuestros ridículos
títeres de alambre.

—Eso es lo de menos —dijo Armando. El primo Héctor,
excepcionalmente habilidoso, iba a tallar en madera unas marionetas dignas del recinto. Ya había empezado la primera y
nos parecía una obra de arte.

—Está preciosa.

—Necesitamos diez.

Mientras Héctor se entretenía con su obra de arte nosotros
dibujábamos escenografías por docenas en hojas de papel cartoncillo: un bosque, el interior de una casa, las fachadas de una
calle, la hostería del Laurel, una tienda. . .

—¿Ya mero, Héctor?

—Ya mero.

En el mercado Miraflores compramos muebles en miniatura,
cacharros, utilería sin fin. La producción estaba lista. Faltaban
los actores.

Nos olvidamos para siempre de las marionetas que Héctor
nunca terminó cuando descubrimos en la juguetería El jonuco,
de la calle Dieciséis de septiembre, unos títeres de lujo. Medían
veinticinco o treinta centímetros, estaban hechos de pasta, vestidos impecablemente y tenían los seis hilos de rigor: en las
manos, en las piernas, en la cabeza y en el trasero. Era lo que
necesitábamos para inaugurar el Teatro la Mariposa.

La generosidad de mi padre respondió de inmediato a nuestra petición. En las madrugadas del Día de Reyes y en las
celebraciones de cumpleaños nos llenó de marionetas de El
jonuco. Llegamos a integrar una compañía de más de cincuenta
actores, incluido el reparto completo de *Don Juan Tenorio*. Todo
estaba listo para empezar.

Y empezamos.

El vano de una puerta que comunicaba el cuarto de estudio
con la recámara de Armando resultó ideal para la instalación
del teatro. Lo apoyábamos sobre un escritorio cubierto hasta el
suelo por una sábana, y del frontispicio al techo colgábamos la
carpeta verde del comedor que hacía las veces de telar y permitía ocultar a los titiriteros. Cuatro o cinco sillas, del lado de la
recámara, sumaban el total de localidades para la audiencia. En

la zona del estudio quedaba la cocina teatral: las sillas donde nos trepábamos para manejar las marionetas, los "camerinos" de los títeres, la bodega para el mobiliario y la escenografía. . .

Cada tarde de sábado, en temporadas que duraban dos o tres meses a lo largo de no sé cuántos años, representábamos dos obras: Luis y yo una y Armando otra, o Armando y Luis una y yo otra: así, por parejas o en forma individual, según. A veces, cuando la complejidad de la obra exigía el manejo de numerosos títeres, los tres hermanos, apretujados en la zona posterior, organizábamos funciones sin preocuparnos por el número de espectadores. La sola presencia de nuestra hermana Esperanza era suficiente para abrir el telón.

Planeábamos las obras en las mañanas de los sábados, piense y piense en el jardín de la casa. A veces se trataba de historias originales, pero la mayoría eran versiones de cuentos, adaptaciones de películas o copias de las obras que corríamos a ver en la carpa que instalaba en Tacubaya la compañía de títeres Rosete Aranda. Regresábamos entusiasmados por *La llorona* o por *El grito de la Independencia* y al sábado siguiente maquillábamos los títeres y producíamos nuestra versión. Lo mejor fue desde luego el *Don Juan Tenorio*, repetido en varias funciones, o la adaptación que Armando hizo de los episodios cinematográficos de *Las calaveras del terror*.

El juego no concluía con la función. Terminadas las representaciones sabatinas registrábamos en un récord individual la participación de cada títere, y acto seguido nos poníamos a la tarea de redactar a máquina, con formato de diario, el periódico *Mariposa*. Allí dábamos cuenta del éxito de las obras, de las puestas en preparación e incluso de imaginarios chismes de la vida profesional y privada de nuestros títeres actores.

La entrada de Armando en la juventud dio al traste con el juego teatral. Como él era el alma de las escenificaciones y de la elaboración del periódico, su renuncia irrevocable puso fin a nuestra actividad de titiriteros. Cambiamos el teatro por el beisbol, regresamos a la lectura obsesiva de Julio Verne y Salgari y un día, con fatuidad adolescente, metimos en un cajón las marionetas de El jonuco, las escenografías y el mobiliario, y enviamos nuestros juguetes a "los niños pobres". El Teatro la

14

Mariposa quedó arrumbado en el cuarto de trebejos y pronto se convirtió en tablas, en palos para el bóiler, en humo. De aquella época rescaté únicamente el juego del periodismo (me di a la tarea de editar publicaciones familiares de un solo ejemplar) y mi afición por el teatro como espectador. Ya no sólo *Don Juan Tenorio* sino todo el teatro: desde las hermanitas Blanch en el Ideal, hasta las representaciones en Bellas Artes y sobre todo la zarzuela. Con mi amigo Javier del Val perseguíamos a las compañías de Pepita Embil-Plácido Domingo y Marianela Barandalla-Tomás Álvarez por los escenarios de la ciudad, para atracarnos de zarzuela en las funciones domingueras de tarde, moda y noche.

Alterné mi pasión por la zarzuela con mi devoción al teatro mexicano. Yo también, algún día —alucinaba—, como Usigli, Gorostiza, Solana, Novo, Carballido, Magaña, Basurto, escribiría obras que se harían realidad en un foro. Entre tanto pergeñaba poemas románticos en busca de destinataria y piezas de teatro en verso y en prosa que terminaba sepultando en una encuadernación de keratol.

Ya era estudiante de ingeniería cuando una noche de 1953 asistí al estreno de *Las cosas simples*, de Héctor Mendoza, en el teatro Ideal. Mientras aplaudía delirante a la terminación de la obra vi a Héctor Mendoza entrar en el foro para agradecer la ovación. El impacto fue mayúsculo. Aquel muchacho tenía veintiún años, sólo uno más que yo, y había escrito aquello, carambas, cómo. Mientras yo garabateaba pastorelas y comedias insulsas él fue capaz de armar una obra en serio que ahora merecía tamaño aplauso. La admiración, la envidia, el contagio se mezclaron en un solo sentimiento. A solas, en el tranvía en que regresé a mi casa, me propuse convertirme en dramaturgo. Yo también, algún día. . .

Mis nuevos intentos se quedaron en balbuceos. Escribí una pieza en un acto que no en balde se llamaba *Timidez* y que en la sala de mi casa, en presencia de parientes y conocidos, representaron mis hermanos y algunos amigos luego de prolongados ensayos y como parte de un juego dizque cultural.

Pero aún estaba muy lejos de Héctor Mendoza y de los autores hacia quienes fui prolongando con el tiempo mi admiración: Carballido, Magaña, Luisa Josefina Hernández, Ibargüengoitia, Héctor Azar, Juan García Ponce. Incapaz de escribir algo que estuviera a la altura de *Los signos del zodiaco*, de *La danza que sueña la tortuga*, de *Los sordomudos*, desilusionado de mis borradores y de mi falta de imaginación, regresé a los poemas en busca de destinataria. Descubrí una muchacha que podría recibirlos, tal vez motivarlos, ¿por qué no? Se llamaba Juana Inés de la Cruz y era hija de Ermilo Abreu Gómez. Un día la invité a remar a Chapultepec, aguardé a que estuviéramos en el centro del lago y entonces zácatelas: desdoblé las cuatro hojas tamaño carta y mientras ella miraba los patos me solté leyendo mis poemas de amor.

—¿Qué te parecen?

En lugar de responder, Juana Inés me habló de su amistad con José Luis Cuevas y con Emilio Carballido.

—¿Pero qué te parecen?

—Emilio es un gran escritor.

—Mis poemas.

Juana Inés me miró a los ojos:

—Deberías conocer a Emilio. Puedes aprender mucho.

No conocí entonces a Emilio Carballido y en donde aprendí las primeras claves, donde descubrí los primeros secretos literarios fue en mis lecturas, en mis estudios de periodismo, en el taller de Juan José Arreola.

Cuando años después mi matrimonio con Estela me permitió cambiar los números de la ingeniería por las letras de la literatura, no pensé, ni por asomo, en incursionar en el teatro. Pensé escribir novelas y escribí novelas al tiempo que descargaba en los guiones de radio y televisión —que durante siete años me proporcionaron un medio de subsistencia— la cursilería, el tropezado manejo del diálogo y las dificultades de composición que me habían hecho imposible ingresar en la literatura por la puerta grande de la dramaturgia.

A veces Fernando Wagner, generoso, me incitaba a escribir una pieza teatral:

—Yo la dirijo, Vicente. . .

Pero se me enchinaba la piel.

PUEBLO RECHAZADO (1968)

A fines de los cincuentas y principios de los sesentas, en vísperas del Segundo Concilio Vaticano, el monasterio benedictino de Santa María de la Resurrección era para muchos católicos mexicanos un saludable centro de renovación religiosa. El monasterio había sido construido en las afueras de Cuernavaca, al noroeste, y gracias a la liberalidad del obispo Sergio Méndez Arceo, el sacerdote belga Gregorio Lemercier —su fundador y prior conventual— pudo llevar a cabo experiencias litúrgicas y lucubraciones teológicas que seguramente los obispos de otras diócesis no habrían tolerado. Al espíritu benedictino que obligaba a los monjes a trabajar en faenas artesanales y agrícolas para financiar la comunidad, se agregaban las enseñanzas que el monasterio difundía hacia el exterior. Antes de que el concilio lo instituyera, en Santa María de la Resurrección se oficiaban misas en castellano, en un altar donde el sacerdote miraba de frente la audiencia, y los fieles comulgaban hostias duras como galletas. Eso, que en aquel entonces resultaba escandaloso, fue nada comparado con la audacia que introdujo Lemercier en su convento y que terminó enfrentándolo a las autoridades tradicionales del Vaticano: la implantación del psicoanálisis, en forma de terapia de grupo, aplicado a monjes y postulantes.

Mucho había oído yo hablar del monasterio, pero lo conocí hasta 1962. Andaba buscando un lugar tranquilo y económico donde terminar de pasar en limpio mi novela *Los albañiles* cuando Ramón Zorrilla y Miguel Manzur me recomendaron el sitio porque los monjes de Cuernavaca recibían huéspedes sin requisito alguno. Bastaba con llegar, solicitar una celda y estar dispuesto a compartir la hora de los alimentos con la comunidad. Todo a cambio de nada; a lo sumo de una limosna, si yo podía darla, y por la cantidad que quisiera.

Me pareció demasiada bondad para ser cierta, pero animado por Estela decidí averiguarlo.

De la parada del autobús, en la entrada de Cuernavaca, un taxi me condujo hasta el monasterio luego de cruzar el fraccionamiento Rancho Cortés y de seguir por un largo camino empedrado y hoyancudo.

Rodeada de verdes la construcción se alzaba en el centro de una loma. Era un sobrio edificio de tres plantas proyectado por Fray Gabriel, uno de los monjes de la comunidad quien más tarde se haría cargo de la remodelación de la catedral de Cuernavaca. En lo alto del gran portón de madera, grabada sobre la mezcla del muro blanco, se leía una inscripción: *Aleluya, Cristo ha resucitado.*

Tiré del cordel y sonó una campana.

Un monje de hábito gris abrió la puerta y antes de que yo terminara de exponerle mi solicitud de hospedaje, con un simple ademán, en absoluto silencio, me invitó a seguirlo por los peldaños de una escalera. La escalera desembocó en un largo y angosto pasillo sembrado de puertas. Abrió una y entramos. Yo por delante: con mi pequeña maleta y mi máquina portátil.

La celda no medía más de cinco metros cuadrados. Bajo la ventana que apuntaba al Valle de Cuernavaca había una mesa parecida a un restirador, con su silla de mimbre. A un lado un catre, y empotrado en la pared un pequeño clóset. Era todo.

Un nuevo ademán del monje me hizo reparar en una hoja de papel extendida sobre la mesa. Se registraba allí el horario de la comunidad al que yo debería adaptarme: misa en la madrugada, desayuno enseguida, comida al mediodía y cena al atardecer. La luz de la celda debía apagarse a las siete, y si escribía a máquina no podría hacerlo después de las seis. Acostumbrado a un horario nocturno de trabajo pensé que me sería difícil empezar la jornada tan temprano y concluirla a la hora en que normalmente comenzaba a escribir. Pero ya había hecho el viaje, no tenía remedio, y resultaría absurdo desistir antes de realizar por lo menos un esfuerzo.

A punto de salir de la celda el monje de hábito gris rompió su silencio:

—Si necesita algún libro, una biblia, avíseme. Lo mismo si quiere hablar con un sacerdote.

Me sentí obligado a ser sincero:

—La verdad yo no vine en plan de retiro espiritual ni nada de eso. Vine a escribir una novela. No sé si haya alguna dificultad.

—Ninguna —me respondió el monje—. Con tal de que cumpla el horario puede hacer lo que quiera. —Y salió.

Esa misma tarde me puse a teclear encerrado en la celda y quedé sorprendido de la prontitud con que en un par de días me habitué a trabajar de la salida a la puesta del sol. Es más: nunca volví a encontrar un ambiente tan estimulante como aquél para el quehacer literario. Escribía de corrido luego de asistir a la misa matinal, al desayuno, y únicamente hacía dos pausas: para bajar a comer y para bajar a cenar. En ocasiones me sobresaltaba por el violento contraste entre los dos mundos que me jaloneaban: del mundo de albañiles y palabrotas de mi novela pasaba súbitamente, a la hora de los alimentos, como quien sufre un duchazo de agua fría, al mundo monacal del refectorio donde se escuchaba a un monje leer, casi cantar en gregoriano, las epístolas de San Pablo a lo largo de todo el desayuno, la comida, la cena.

Una mañana, Lemercier me llamó a su oficina.

El sacerdote belga era un hombre impresionante. El garbo con que manejaba su estatura, el cabello blanco de tan rubio, el ojo de plástico que llenaba su órbita izquierda y la elegancia, la suavidad de sus ademanes, lo convertían frente al interlocutor en un gigante todopoderoso, sabio, santo y seductor.

Lemercier quería saber, como de seguro lo preguntaba a todos los huéspedes, la razón de mi visita al monasterio.

Le hablé de la recomendación de Ramón Zorrilla y de mi novela: del carácter simbólico del velador don Jesús, de la metáfora cristiana con que me empeñaba en teñir la historia y que él, mejor que mis compañeros becarios del Centro Mexicano de Escritores, comprendería sin duda.

—Muy interesante —dijo Lemercier.

Iba a seguir hablándole de *Los albañiles* pero me interrumpió:

—¿Usted nunca ha pensado en psicoanalizarse?

—¿Nunca he pensado en qué?

—En psicoanalizarse.

—¿Yo?

—Sí, usted.

Lemercier no esperó a que yo resolviera mi tartamudeo para desencadenar su sermón.

Me resultaba insólito oír a un sacerdote hacer la apología del psicoanálisis individual, del psicoanálisis de grupo, de las teorías de Freud, con la misma pasión con que el común de los sacerdotes solía hablar en aquel entonces de la vida espiritual o de la devoción mariana.

—Psicoanalícese, no lo piense dos veces —me dijo al despedirse.

Salí desconcertado de la oficina del prior y unos días más tarde, concluida mi novela, abandoné el monasterio luego de entregar al hermano de hábito gris los doscientos cincuenta pesos que Estela me había regalado de cumpleaños por el hospedaje de una semana y días.

Tres años después, en 1965, el monasterio de Cuernavaca se convirtió en noticia mundial. El obispo Méndez Arceo, en franco apoyo a la experiencia psicoanalítica de los benedictinos de su diócesis, exhortó a los asambleístas del concilio para que la Iglesia tomara en cuenta los aportes del psicoanálisis en la formulación de sus decretos. La defensa de Freud, hecha por un obispo mexicano, resonó en Europa y en América.

Por conducto de Jorge D'Angeli, quien conocía mi interés en el tema y ocupaba el cargo de director-gerente en la empresa editora de la revista *Claudia* en la que yo trabajaba, la revista *Panorama* de Buenos Aires me encomendó un reportaje sobre ese monasterio donde el psicoanálisis se hallaba entronizado a contrapelo de la Iglesia. Puse en orden el material que había reunido desde 1962 y decidí visitar con un fotógrafo Santa María de la Resurrección. Para obtener el permiso —tomar fotos estaba estrictamente prohibido— envié un cable a Lemercier quien se hallaba en Roma como consejero teólogo de Méndez Arceo. Su respuesta afirmativa fue inmediata y Álex Klein tuvo todas las facilidades para fotografiar hasta el último rincón del monasterio. Completé mi trabajo entrevistando al psicoanalista Gustavo Quevedo encargado, junto con la doctora Frida Zmud, de la terapia de grupo de los monjes.

Lejos de tomar en cuenta la exhortación de Méndez Arceo, el Vaticano endureció su política y en mayo de 1967 el Santo Oficio prohibió a Lemercier "sostener en público o en privado la teoría o la práctica psicoanalítica y exigir o sugerir a los candidatos a la vida monástica una formación psicoanalítica". El prior no quiso someterse. Respondió al Vaticano renunciando "al ejercicio del sacerdocio jerárquico católico", y con él la mayoría de los miembros de su comunidad renunciaron también a la vida monástica y cortaron todo vínculo con la Confederación Benedictina. Al mismo tiempo resolvieron formar una nueva comunidad laica "unidos por una confianza común en el medio técnico del psicoanálisis".

La renuncia del prior y el anuncio de esa nueva comunidad ocuparon la primera plana de los diarios mexicanos en medio de un gran revuelo en los ambientes católicos.

Lemercier citó entonces a una conferencia de prensa en un amplio local de Santa María de la Resurrección y allí, frente a periodistas que lo acosaban y periodistas que lo celebraban, explicó su renuncia a la institución eclesiástica y razonó los objetivos de la nueva comunidad que llevaría por nombre Emaús que significa, dijo, pueblo rechazado.

Oyendo a Lemercier durante la conferencia de prensa o tal vez luego, reflexionando a solas, pensé en escribir una obra de teatro sobre la historia del monasterio. El tema y el ambiente imponían el género: los hábitos de los monjes, los cantos en gregoriano, la posible escenificación de una misa, el conflicto mismo parecían elementos reunidos exprofeso para una pieza dramática, quizás un auto sacramental moderno. Quizá. . . Dudaba. Me sentía inseguro para escribir una obra de teatro, pero también para escribir cualquier otra cosa. Tenía meses atorado con el proyecto de una ambiciosa novela que se había ido convirtiendo en un borrador de cuatrocientas cuartillas sin salida. Tal vez saltando de la novela al teatro, cambiando de género, lograría salir del atorón, pensé. Y aquélla era una buena oportunidad.

Decidí hacer la prueba.

Aunque dos años antes había dejado de escribir telenovelas para Ernesto Alonso y Luis de Llano, los primeros borradores me salieron tan farragosos como el más farragoso capítulo de aquellos folletones. A la basura. Empecé de nuevo. A la basura otra vez. Un intento y otro intento depurando, economizando diálogos y escenas, forzándome a reducir la historia a su pura sustancia. No pensaba en una obra estrictamente testimonial porque temía que el conflicto quedara reducido a una simple anécdota local. Ambicionaba que mi obra tuviera dimensiones universales y sirviera para ilustrar sobre todo la libertad de búsqueda en la Iglesia y la crisis de las instituciones. Por eso el protagonista no se llamaría Lemercier sino Prior; el psicoanalista sería Analista, no Quevedo, y el obispo, Obispo, no Méndez Arceo. Bajo este criterio me tomé todo género de libertades respecto a la historia real, pero también, excediéndome, sin solicitar a Lemercier su autorización, utilicé el Padrenuestro reproducido en su libro *Dialogues avec le Christ* para la escena de la misa, y fragmentos de su homilía *Trente ans perché sur un sycomore* para los monólogos del Prior. Algunos otros documentos, como la intervención de Méndez Arceo durante el concilio, como declaraciones de Lemercier en sus entrevistas con Luis Suárez y como las opiniones de los monjes aparecidas en un reportaje de Robert Serrou en *Paris-Match*, entraron a formar parte de la obra impunemente saqueados.

Cuando terminé la pieza la di a leer a dos amigos: Ernesto Ortiz Paniagua y Ramón Xirau. Ortiz Paniagua fue generoso en sus opiniones, mientras que Ramón Xirau me objetó precisamente lo periodístico y me señaló el peligro de que la obra pareciera oportunista:

—Yo que tú la dejaba descansar unos años —me dijo Xirau—. Cuando haya pasado el escándalo vuelve a pensar en el asunto y si todavía te interesa entonces sí, escríbela. Tendrás una perspectiva mejor... Eso pienso, quién sabe; yo no sé mucho de esta clase de teatro.

También yo estaba en pañales en cuestiones de teatro documental. Mi conocimiento de Brecht era muy insuficiente y nada sabía entonces de Piscator, de Peter Weiss, de Hochhuth, de Kipphardt. La única influencia de *Pueblo rechazado* era *Asesinato en la catedral* de Eliot. Recordaba la magnífica puesta en escena de José Luis Ibáñez en los jardines de la escuela de Arquitectura de la Universidad Iberoamericana, donde ahora funciona el restorán San Ángel Inn.

—¿Por qué no consultas con alguien como José Luis Ibáñez? —dijo Xirau.

24

Ibáñez y yo habíamos sido condiscípulos en el Cristóbal Colón cuando él no prescindía aún del apellido paterno y se llamaba José Luis González Ibáñez. Al salir de la preparatoria le perdí la pista, pero su fama de director y maestro de actuación me lo hacía presente de continuo.

Era buena la sugerencia de Xirau. José Luis podía ser un magnífico director de *Pueblo rechazado* si le interesaba la pieza. De seguro él no tendría los prejuicios contra el teatro religioso que yo sospechaba en otros directores, como lo había demostrado con su puesta en escena de la obra de Eliot. Con suerte José Luis sigue siendo católico, dije.

Lo busqué. No seguía siendo católico pero se interesó en el tema, tanto que me invitó a su casa para que le leyera el original.

Mientras cenábamos mediasnoches de jamón intercambiamos recuerdos de los tiempos escolares. Me contó las circunstancias en que perdió la fe y yo le hablé de la obsesividad con que trataba de volcar la mía en la literatura. Se veía bien dispuesto.

—En cuestiones de teatro siempre hablo con absoluta franqueza —me advirtió, antes de que yo empezara la lectura en voz alta—. Si tu obra me gusta mañana mismo me pongo a estudiar la manera de montarla. Puede haber mil formas: como teatro profesional, como teatro universitario. . ., mil formas. Si me gusta yo me comprometo a dirigirla.

No le gustó. A media lectura me di cuenta. Su silencio, su desguanso, su mirada somnolienta transmitían una clara decepción.

Me lo dijo cuando acabé la lectura:

—El tema es bueno pero el tratamiento está mal, no funciona.

Primero: las objeciones de detalle. Yo hacía sostener al Prior una serie de diálogos con Cristo, en los que ese Cristo —a la manera de lo que luego veríamos en *El diluvio que viene*, con la voz de Dios grabada por Manolo Fábregas— hablaba fuera de escena. Y eso no —me dijo José Luis Ibáñez—. Eso es antiteatral, horrible. Pero en fin, como error secundario podía corregirse. Lo de veras grave, lo irremediable, era la concepción misma de la pieza, su composición dramática. Ahí no tenía salvación *Pueblo rechazado* porque traicionaba el sustento básico de un auto sacramental: la lucha de fuerzas, tú sabes —me dijo José Luis Ibáñez—. Dos fuerzas: el mal y el bien, Eros y Tánatos o lo que tú quieras, combatiendo entre sí. Pero ojo, cuidado: no basta con que estén presentes las dos fuerzas; en tu obra aparecen, claro, ¿pero qué ocurre?, ¿por qué no hay conmoción dramática? No hay dramatismo porque esas dos fuerzas se encuentran desniveladas. Desde el principio, las del mundo del Prior tienen todas las de ganar, dramáticamente hablando. Las fuerzas que se le oponen, los cardenales, los católicos, nunca se presentan como verdadera amenaza y eso destruye de entrada toda tensión. Y sin tensión no hay obra; sin verdadera lucha no hay auto sacramental posible. Revisa los autos de Calderón de la Barca, estudia *La cena del rey Baltasar*. El género tiene sus reglas y las reglas del género no pueden violarse.

—Lo siento.

Dejé en la charola un trozo de medianoche y salí de casa de José Luis Ibáñez como quien sale reprobado de un examen. No había nada que hacer con *Pueblo rechazado*. Sentía deseos de arrojar el original a la basura, pero también me aferraba a la posibilidad de que mi amigo se hubiera equivocado.

No toqué la obra durante varios días. Luego la revisé cuidadosamente, transformé en monólogos los diálogos del Prior con el Cristo fuera de escena, y me fui al Jiménez Rueda a ver el *Galileo Galilei* de Brecht dirigido por Ignacio Retes.

Sabía de Retes por algunos de sus montajes en las temporadas del Seguro Social, durante la administración de Benito Coquet, y por su obra *Una ciudad para vivir* que años atrás había visto en la Sala Chopin.

La puesta en escena del *Galileo* me animó a recurrir a Retes para dar a *Pueblo rechazado* una segunda oportunidad.

Nos citamos en el café Palermo de las calles de Humboldt donde yo acudía casi a diario a leer o a charlar con los amigos. Retes llegó al Palermo entusiasmado de antemano. Conocía la historia del monasterio de Cuernavaca, conocía incluso a Lemercier, y estaba seguro de que una obra sobre el tema sería un éxito garantizado —me dijo mientras fumaba a trancos su cigarrillo, como si lo masticara.

26

—Léala primero, maestro. José Luis Ibáñez la puso para el arrastre.

—No le haga caso a esa gente —replicó Retes—. José Luis Ibáñez vive perdido en el Siglo de Oro. Él no sabe de este tipo de teatro... Pero sí, claro, primero hay que leerla. Yo le aviso.

La lectura acrecentó el entusiasmo inicial del director. Salvo un par de escenas que me sugería corregir, la pieza le parecía redonda. Será un éxito, insistió.

—Déjelo todo en mis manos, yo me encargo. Hay que conseguir financiamiento, un teatro, un buen actor. Apenas tenga algo en firme yo le aviso. Usted tranquilo.

Retes me telefoneó varias semanas después. Había hablado de *Pueblo rechazado* con Ignacio López Tarso y López Tarso se interesaba en principio. Quería conocer la obra. Nos invitaba a cenar el sábado en su casa.

A media noche de aquel sábado pasé por Retes al Jiménez Rueda después de la segunda función de *El jardín de los cerezos* donde trabajaba en el papel de Leonid Gaev bajo la dirección de Dagoberto Guillaumin. Pese a que López Tarso trataba con evidente respeto a quien lo había dirigido en obras como *Un tigre a las puertas* de Giraudoux, *Otelo* de Shakespeare, *Edipo rey* de Sófocles, mantenía ante Retes, y sobre todo ante mí, su aire de actor famoso. Al terminar la cena que preparó su esposa Clara, antes de la lectura que haría Retes de *Pueblo rechazado* —a Nacho no le gustaba que le leyeran las obras, sólo a su director se lo permitía—, López Tarso nos advirtió que estaba en tratos con Alejandro Jodorowski para protagonizar *El rey se muere*. Aún no había dicho que sí. Necesitaba conocer *Pueblo rechazado* antes de tomar una decisión.

Intervino Lucila, la esposa de Retes:

—Ni lo pienses, Nacho, ésta es una obra mexicana. Ya es tiempo de que vuelvas a hacer teatro mexicano.

—Vamos a ver —dijo López Tarso.

Nadie interrumpió la pausada lectura en voz alta de Ignacio Retes. Sólo en dos ocasiones López Tarso dejó escapar lo que parecían bufidos de admiración:

—Ah caray. Ah caray.

Al terminar me felicitó con expresiones convencionales, y nos dijo adiós cuando empezaba a amanecer. Lo pensaría durante una semana, no más. Todo era cosa de elegir entre Ionesco y Leñero.

El actor famoso escogió a Ionesco, por supuesto, y Retes se vio obligado a iniciar nuevas gestiones para el montaje de *Pueblo rechazado*; también a aceptar un trabajo con Enrique Lizalde, quien lo llamó a dirigir *Historias para ser contadas* de Oswaldo Dragún en una gira por el interior de la República.

Mientras Retes salía de gira con Lizalde, la *Revista de la Universidad* publicó *Pueblo rechazado* en una separata de hojas azules. Semanas antes Gastón García Cantú, director de Difusión Cultural de la UNAM, me había solicitado un texto inédito para incluirlo en una edición especial de la revista sobre la nueva literatura mexicana; le envié mi pieza para que él seleccionara un fragmento y García Cantú decidió publicarla íntegra.

Eran los primeros días de mayo de 1968.

Retes regresó de su gira con magníficas noticias. Enloquecido con *Pueblo rechazado*, realmente enloquecido —decía Retes—, Enrique Lizalde estaba dispuesto a protagonizarla y a invertir dinero propio en el montaje. Más aún, Retes y Lizalde habían iniciado ya los trámites para escenificar la pieza en el teatro Xola dentro del programa cultural de la XIX Olimpiada. El plan marchaba de maravilla. Sólo era necesario que yo acompañara a Retes —mañana a tales horas— para ultimar detalles con Ricardo García Sainz, responsable del Xola y los demás teatros del Seguro como subdirector administrativo del IMSS.

Más que hablar sobre las condiciones para cedernos el Xola, García Sainz quería hablar de la obra. Tenía reparos a su calidad literaria —no se enfatizaba suficientemente la lucha interna del Prior— y un cierto temor a que *Pueblo rechazado* lastimara los sentimientos religiosos del público y diera origen a algún escándalo.

Retes iba a responder pero García Sainz se adelantó:

—Por lo que a mí toca estoy de acuerdo en que se monte en el Xola, cuenten con el teatro, pero el que tiene la última palabra es el arquitecto Urrutia.

Oscar Urrutia me buscó unos días después. Como coordinador del Festival Internacional de las Artes de la XIX Olimpiada, Urrutia era el responsable de todos los espectáculos incluidos en el programa cultural y quería —me dijo— que yo me entrevistara con él y con el doctor Gustavo Quevedo para hablar sobre *Pueblo rechazado*.

—¿Hay algún problema, arquitecto?

—Sólo un cambio de impresiones —respondió.

Hicimos una cita en el Sanborns de San Ángel.

Me dirigí a la cita seguro de que había problemas, eso era evidente. Si el psicoanalista del monasterio tenía interés en hablar conmigo no era para felicitarme, era porque conocía la obra y porque conociéndola estaba en desacuerdo con el tratamiento del Analista y con el hecho de que el tema del psicoanálisis hubiera sido relegado a un segundo plano.

No me equivoqué. Quevedo conocía la obra de pe a pa, como la conocían Lemercier y los exmonjes de Emaús.

El psicoanalista empezó por los halagos: la pieza era sencillamente formidable, muy bien escrita de veras, valiente, profunda, importante en la historia del país. Pero. . .

Aunque el doctor Quevedo era mexicano, hablaba con un leve acento argentino y tenía aire prepotente. Miraba a los ojos y ademaneaba con energía seguro de convencer a su interlocutor por el camino de una estudiada bondad o por el de la fuerza de sus razonamientos.

Bebió un sorbo de café:

—Pero mire usted, amigo Leñero, mire usted, cómo explicarle. . . La obra está incompleta. Tiene un defecto. Un defecto del que usted no es culpable, yo lo sé. Usted ignora, cosa por demás muy lógico, el problema de fondo, la situación por dentro, lo que significó el psicoanálisis en el monasterio; lo importante que fue en el estudio científico de la fe religiosa que jamás, óigame bien, que jamás se había intentado. Muy poco de lo que se dice en su obra sobre el psicoanálisis responde a la realidad. Y eso es por desconocimiento, yo lo sé, no por mala voluntad. —Bebió otro sorbo de café. —Lo que yo quisiera, amigo Leñero, es ayudarlo a mejorar su obra: darle más datos, ponerlo en antecedentes, proporcionarle toda la información necesaria para que las cosas se reflejen tal como ocurrieron.

Por ahí se fue Quevedo tratando a toda costa de convencerme —al menos eso entendí— que el Analista de *Pueblo rechazado* debía ser un héroe protagónico tan importante como el Prior.

Cuando al fin hizo un silencio logré exponerle mis razones: mi obra no pretendía reflejar personas de la vida real. Mi Analista no era él ni el Prior era Lemercier. Habían surgido de un acontecimiento verídico, eso era innegable, pero a la hora de convertirse en literatura sólo obedecían, para bien o para mal de la obra, a mi muy personal concepción del asunto.

—No me ha entendido, amigo Leñero.

—Lo entiendo perfectamente, doctor.

—No, no me entiende. Le pido nada más unos cuantos cambios.

Me acordé de la revista *Claudia*:

—Si yo fuera Christian Dior y usted me pidiera cambiar el diseño de un vestido yo no aceptaría.

—Sólo le pido cambiar los botones.

—Christian Dior no aceptaría cambiar ni los botones.

La discusión se prolongó más de lo necesario. Quevedo estalló al fin y terminó amenazándome: si yo no modificaba la obra él estaba dispuesto a impedir que se presentara en el Xola.

—Puedo hacerlo —gritó.

Como la afirmación de Quevedo implicaba al coordinador de la Olimpiada Cultural me dirigí al arquitecto Urrutia —quien se había mantenido casi en silencio durante la discusión— para saber si avalaba las amenazas del psicoanalista. En lugar de responder a mi pregunta, Urrutia trató de conciliarnos. No pudo. La alegata terminó sin conclusión.

No volví a ver al doctor Gustavo Quevedo —murió tres meses después en un accidente de carretera— pero en los días que siguieron a nuestra entrevista en el Sanborns tenía muy presente su enojo, sus amenazas. Si como él había dicho, Lemercier era de su misma opinión; si como yo sospechaba Urrutia se ponía de su lado, y de su lado también Ricardo García Sainz, *Pueblo rechazado* se hallaba en peligro de no llegar al teatro Xola.

¿A quién recurrir?

Estela me dijo:

—Habla con Méndez Arceo.

Estela y yo admirábamos al obispo de Cuernavaca pero no lo conocíamos personalmente. Alguna vez Iván Illich trató de reunirnos con él en el CIDOC, con el pretexto de cenar unas alcachofas, y por angas o por mangas se retrasó el encuentro. A mí no me importaba demasiado y decía a Iván Illich:

—Prefiero conocerlo por sus obras, como a los escritores.

—Don Sergio es diferente.

—Es obispo y un obispo es siempre un obispo.

—Don Sergio no.

Ahora no parecía quedar más camino para salvar a *Pueblo rechazado* que recurrir a don Sergio. Le escribí una carta explicándole el porqué de mi obra y refiriéndole mi entrevista con Quevedo y mis temores de que Urrutia se negara al montaje. Junto con la carta le envié un ejemplar de *Pueblo rechazado* impreso en la *Revista de la Universidad*.

Méndez Arceo respondió de inmediato. Me invitó a hablar con él en Cuernavaca y dijo que también invitaría a Lemercier.

Era la tarde de un sábado de principios de julio. El gran salón de la casa episcopal, en otras épocas amueblado con lujo porfiriano y engalanadas sus ventanas por cortinajes de terciopelo rojo, había perdido aquel esplendor y mostraba ahora, en su austeridad y su desorden, el aspecto de un cuarto de trabajo vetusto y pobretón. Alteros de libros y papeles desbordaban mesas, sillas, y se esparcían por el piso pidiendo a gritos los entrepaños de libreros inexistentes.

Méndez Arceo vestía una sotana blanca, raída, y calzaba unas alpargatas que parecían pantuflas. Apartó los libros que invadían un sillón:

—Deja abrirte un lugarcito.

Aún no tocaba el tema de *Pueblo rechazado*. Apenas entré empezó a hablarme de los Leñero de Michoacán. Con tío Agustín, tío Alfonso, tío Rubén, había pasado su infancia en Guarachita unido a ellos por un lejano parentesco por la rama materna.

—Eso quiere decir que tú y yo somos casi parientes. ¿Lo sabías?

31

Me habló de mi padre y me preguntó por mis hermanos. Ahora resultaba que el obispo de Cuernavaca tenía de mi familia una información que yo jamás hubiera imaginado. Eso me dio confianza.

—¿Quieres un whisky?

Del fondo de un mueble don Sergio extrajo una botella de Pinch. Mientras él ponía hielo en dos vasos me atreví a preguntar:

—¿Leyó la obra don Sergio?

Asintió pero no dio señales de querer externar su opinión personal. Lo importante era que yo debía tener plena confianza en que todos los problemas con *Pueblo rechazado* se resolverían satisfactoriamente. Lemercier iba a llegar de un momento a otro y ahí, entre los tres, se discutirían sin tapujos las objeciones que los dirigentes de Emaús planteaban a la pieza.

Empezábamos a beber el whisky cuando llegó Lemercier. Tenía prisa, dijo. Un asunto urgente lo hacía disponer de unos cuantos minutos, sólo unos minutos.

—Pero tómese un trago, padre —sonrió don Sergio y lo armó con un vaso, hielo, agua, whisky.

A pesar de que Lemercier había conseguido su reducción al estado laico diez meses antes, a pesar de que había vuelto a su nombre de pila, José, y a pesar de que estaba a unos cuantos días de casarse con Graciela Rumayor, el obispo seguía llamándolo padre; y subrayaba a cada rato el término: padre. Para mí —al verlo así de pronto, después de tanto tiempo—, Lemercier no era el mismo. El prior fascinante que conocí en el monasterio en 1962, el luchador que oí hablar ante los periodistas en su conferencia de prensa, se había convertido en un civil de camisa abierta y rostro apacible que confesaba tener prisa, asuntos, compromisos urgentes como cualquier ser urbano.

Tomó asiento y entró en materia, sin más. Llevaba una copia de mi original a máquina, con subrayados y notas en casi todas las páginas. Sus primeras objeciones fueron las mismas que las de Gustavo Quevedo: se falseaba la historia del psicoanálisis en el monasterio y la figura del analista se veía caricaturizada, disminuida.

—Pero usted queda como un héroe, padre —interrumpió

don Sergio—. Es el protagonista.

Desde luego eso no era lo importante para Lemercier, hizo notar Lemercier, ni los problemas de la obra se circunscribían al tratamiento equivocado del aspecto psicoanalítico. Además de esos reparos, él tenía muchos otros: de orden teológico y de orden documental.

—¿Por ejemplo?

—Por ejemplo éste —dijo Lemercier, y buscó en su libreto un parlamento donde el personaje Sacerdote cambiaba una y por una o en la lectura del mónitum del Santo Oficio.

—Es un error fácil de corregir —acepté.

—Hay otros más importantes que tienen que ver con ideas teológicas. —Lemercier volvió a sus notas y a los parlamentos del Prior subrayados por él en la copia de mi original: Usted pone en mi boca barbaridades. Yo jamás diría esto, ni esto, ni esto, ni esto.

Traté de frenarlo con mi cantinela: el Prior no era Lemercier, el Analista no era Quevedo; más que el psicoanálisis en el monasterio el verdadero tema de mi obra era la libertad de búsqueda en la Iglesia.

Intervino don Sergio para apoyarme. También yo había deformado declaraciones y modos de pensar suyos al configurar al personaje Obispo, y a pesar de eso él no boicoteaba la obra, al contrario.

—Usted que luchó tanto en el monasterio por la libertad no puede ir contra la libertad de un escritor, padre —dijo Méndez Arceo—. No puede hacer con él lo que hicieron con usted en el Vaticano.

Lemercier meneó la cabeza.

—¿No es cierto, padre?

Cerró el libreto.

—De acuerdo —dijo. Se levantó. Se iba ya. Hasta luego. Tenía prisa, nos lo advirtió al llegar: un compromiso urgente, lo estaban esperando. Me recomendaba tomar en cuenta sus objeciones pero no insistiría más.

—Adiós.

Vi salir a Lemercier cuando aún no terminaba de digerir su maravillosa reacción. La prolongada alegata que imaginaba se había resuelto en un parpadeo, de golpe, como si en los principios de una partida de ajedrez Lemercier hubiera inclinado su rey antes de oír a su enemigo cantar el primer jaque.

Don Sergio terminó su whisky:

—Te lo dije.

—Se fue...

—Todo está arreglado, te lo dije.

—¿Y Quevedo, y Urrutia, y García Sainz?

—Todo está arreglado.

—¿Usted cree, don Sergio?

—Estoy seguro.

Nunca supe cómo se echó a andar el mecanismo que después de aquella entrevista en casa de Méndez Arceo disipó del todo las amenazas y objeciones contra *Pueblo rechazado*, pero el hecho fue que a partir de entonces los obstáculos desaparecieron. Retes y Lizalde enfrentaron más tarde algunos problemas, pero casi todos eran los característicos de cualquier producción teatral. Y mientras formaban el reparto, mientras llamaban a Toni Sbert para encargarle la escenografía, Lizalde hablaba de echar a andar, con la puesta de *Pueblo rechazado*, un movimiento teatral, una compañía dedicada a presentar obras testimoniales, un grupo que renovara desde sus cimientos —el fuerte de Lizalde era la grandilocuencia— el panorama de la escena mexicana. El movimiento, la compañía, el grupo, se llamaría Teatro Documental.

—Haremos teatro político, teatro de testimonio, teatro en serio —decía Lizalde como si hablara ante una multitud.

Asistí a la primera lectura de *Pueblo rechazado* la víspera del día en que Estela y yo viajamos a Europa con el dinero de una beca Guggenheim. No supe más de los ensayos, pero sí de lo que ocurría en México durante aquellas semanas aciagas del 68. En Milán nos enteramos de la toma de la Universidad por el Ejército. En Pollensa, en casa de José Donoso, supimos de la masacre del dos de octubre en Tlatelolco. Cuando en noviembre regresamos a México, el movimiento estudiantil agonizaba en la cárcel y *Pueblo rechazado* cumplía tres semanas de haberse estrenado en el Xola, en pleno furor olímpico. Retes, Lizalde, los actores de la compañía, sus amigos, sus admiradores, me aseguraban que el estreno había resultado apoteótico, único en la historia del teatro mexicano:

—Hubieras visto a la gente: aplaudía a rabiar, gritaba bravos, deliraba. Qué ovación. Fue la locura.

Como en aquel tiempo no estaba familiarizado aún con la excedida vanidad de la gente de teatro que la lleva a convertir los éxitos locales en triunfos históricos y a culpar de los fracasos a circunstancias externas, aquellos comentarios sobre el estreno de *Pueblo rechazado* me envanecieron de pronto. ¿Era posible tamaña gloria?

Ciertamente el estreno debió resultar espectacular, al menos por la presencia en la sala de Lemercier y Méndez Arceo. Según *El heraldo*, que dedicó toda su plana de espectáculos a reseñar esa primera función, periodistas y público acosaron a preguntas al exprior y al obispo, pero ni uno ni otro emitieron un solo comentario sobre la pieza. Sólo cuatro meses después, en una entrevista con Luis Suárez publicada en la revista *Siempre*, Lemercier dio a conocer públicamente su opinión:

—Los conflictos ilustrados en la obra *Pueblo rechazado* son de carácter secundario, aunque hayan tenido cierto impacto por su naturaleza espectacular. La obra se escribió sin mi intervención y sin que se pidiera mi anuencia para la utilización de ciertos pasajes de mi libro *Diálogos con Cristo*, tales como el *Padrenuestro* y *Treinta años subido en un sicomoro*. Sin embargo, creo que Vicente Leñero, quien terminó aquí su novela premiada *Los albañiles*, supo presentar bien el tema de la libertad de búsqueda, que es el objetivo central de su obra, según me lo declaró. No creo que el tema del psicoanálisis haya sido tratado a fondo en *Pueblo rechazado*. La presentación de la figura del analista no corresponde a la realidad de la figura del doctor Quevedo. Reconociendo el valor documental de la obra me abstengo de hablar de sus aspectos dramáticos porque no me siento competente.

—Y usted, ¿cómo se ve representado en la obra?

—No soy jorobado y no me creo tan viejo como me representa el joven actor Enrique Lizalde.

Mi primer contacto con el montaje de *Pueblo rechazado* determinó para siempre mi carrera teatral. Apenas llegué del aeropuerto corrí al teatro Xola y en una butaca de sexta fila presencié la función. Parecía cosa de magia. Del papel habían brotado figuras, seres humanos que repetían los parlamentos escritos meses atrás. La atmósfera y las acciones planeadas teóricamente se convertían en el foro en una realidad tan distinta a la mía que me resultaba difícil reconocer mi mano pese a que el montaje respetaba escrupulosamente el texto original. Fuese como fuese yo estaba allí: detrás, arriba, como un titiritero del Teatro la Mariposa. Imposible saber si la obra era buena o mala, si estaba correcta o incorrectamente escrita o actuada o dirigida. Lo importante era su presencia de bulto. Sólo en el teatro, pensé, el escritor tiene la oportunidad de ver a sus personajes transformados en criaturas humanas que se mueven delante de uno, que hablan, que viven, que son. Me bastaba con descubrir esa verdad para decidir no apartarme nunca del teatro. Optaba por él.

La temporada de *Pueblo rechazado* fue un éxito de público. Colas en las taquillas. Llenos. Comentarios polémicos. Más que el valor literario de la obra —eso lo fui entendiendo poco a poco— era su referencia inmediata a un acontecimiento religioso que había conmocionado a la clase media lo que atraía espectadores y prolongaba en reseñas periodísticas, en programas de televisión, los alegatos planteados en la pieza.

Una noche llegó al Xola Rodolfo Usigli. Me sorprendió ver a un hombre enjuto y de baja estatura en lugar del gigante orgulloso que sus obras, y sobre todo su pasión teatral volcada en desplantes y escándalos, me habían hecho suponer.

—Me han hablado mucho de *Pueblo rechazado* —me dijo antes de entrar en la sala—. Y por lo que dicen, usted se pone más del lado de Brecht que de Aristóteles. ¿Es cierto?

—Eso dicen.

—Yo no comparto sus teorías, pero en fin, vamos a ver. Cuando termine la función le daré mis puntos de vista, si le interesan.

—Claro que me interesan, maestro.

Después de la hora y media que duraba *Pueblo rechazado* fui al encuentro de Usigli.

Emboquilló su cigarrillo:

—No me informaron mal. Su obra funciona aunque éste no es el teatro en el que yo creo. Me gustaría que habláramos.

Fuimos a beber whisky y a comer bocadillos al restorán Noche y Día de la Calle Dinamarca, ya para llegar al Hilton. Usigli empezó con una larga lección de composición dramática. Me habló de la necesidad de rescatar el realismo mexicano que se apoyaba en los principios aristotélicos, antes de dar el salto al absurdo o a ese teatro que gente como Piscator o Peter Weiss habían propagado por Europa y ahora contagiaba a América. Era lógico el éxito. Usigli entendía perfectamente las razones por las que el teatro documento o esas formas de teatro político alcanzaban con facilidad una respuesta favorable, pero lo que un escritor debería preguntarse es qué tan importante para él resulta la vida de una obra, una vez rebasado el impacto periodístico. En eso se centraba la cuestión de fondo, independientemente de que *Pueblo rechazado* tuviera virtudes.

—Las tiene —me dijo Usigli— y usted puede sentirse satisfecho. La obra me gustó, de veras, y no se lo voy a decir en privado como hace todo mundo. Se lo voy a decir públicamente en un artículo que escribiré en *Novedades*... Ahora que empieza su carrera en el teatro va a conocer lo ingrato que es este medio, pero también lo fascinante. Lo que yo le podría contar...

Y Usigli me contó aquella noche, entre whisky y whisky, experiencias, anécdotas, chismes de su vida como dramaturgo. Sin citar a Salvador Novo por su nombre —lo llamaba simplemente "el cronista"— me habló de su célebre pleito con él cuando *El gesticulador*, y me habló también de la ingratitud de sus discípulos, de la traición de sus amigos. Él había continuado solo dando su pelea, deturpado por críticos imbéciles, ninguneado por las mafias, hecho a un lado por quienes se creían dueños de la cultura del país.

—Si usted ama el teatro lo suficiente como para soportar este maldito medio, si no deja de escribir pase lo que pase, le digan lo que le digan, se hará un dramaturgo. De otro modo, olvídelo. Escribiendo novelas la pasará mejor.

A las dos de la madrugada salimos del Noche y Día, y una semana después, tal como lo había prometido, Usigli publicó un estimulante comentario en el suplemento cultural de *Novedades*.

De su plática me punzaban sus advertencias sobre lo circunstancial que podía ser *Pueblo rechazado*; advertencias que prolongaban las opiniones de Xirau, de Ibáñez, de Iván Illich cuando una noche me dijo, después de la función:

—Estuviste a punto de escribir una gran obra, pero faltó...

—¿Qué faltó?

—Faltó, faltó. ... —dijo Iván Illich, y desinteresado del tema se puso a hablar de otro asunto.

Retes y Lizalde rebatían los cargos que tachaban a *Pueblo rechazado* de oportunista, y cuando se tocaba el tema aludían a vagos ofrecimientos para montar la obra en Nueva York, en Madrid, en Milán, en Munich. Con el tiempo, ninguno de aquellos ofrecimientos prosperó. Luis de Tavira me hizo llegar una traducción al inglés del jesuita Ernest Ferlite, y Gerda Landsburg de Preux la tradujo al alemán para ofrecerla a un empresario de Frankfurt. La traducción de Ferlite se quedó en un cajón, y el empresario de Frankfurt respondió a Gerda que no le interesaba montar una pieza "tan específicamente católica". También fallaron mis gestiones personales. En Barcelona, la editorial Aymá se negó a publicarla en su colección de teatro. En Milán, el traductor Alberto Cicogna —a quien conocí por intermedio de García Márquez— la propuso al Piccolo de Milán, pero los empresarios del Piccolo de Milán ni siquiera se molestaron en responder. Cuando en 1971 viajé por Alemania Occidental formando parte de una comitiva de escritores latinoamericanos, conocí a Heinar Kipphardt, autor de *El caso Oppenheimer* y entonces director del Kammerspiele de Munich. Le hablé de *Pueblo rechazado*, le entregué un ejemplar de la edición de Joaquín Mortiz, y Kipphardt me respondió casi de inmediato con una negativa envuelta en sonrisas.

De no ser una adaptación para la televisión polaca, de la que me enteré cuando me llegó un cheque por unas cuantas coronas como pago de regalías, *Pueblo rechazado* no logró romper las fronteras nacionales.

Los límites de la ciudad de México se rebasaron apenas. En Durango, Salvador Téllez Girón realizó dos montajes experi-

38

mentales. El primero con un grupo de estudiantes y el segundo con los reclusos de la cárcel estatal. No quise perderme la experiencia de ver actuar al grupo dramático de un reclusorio donde se habían puesto en práctica los principios humanitarios de la nueva política penitenciaria, y viajé a Durango. Téllez Girón hablaba con entusiasmo del grupo, de su dedicación, de su interés por la obra. Para el papel del Obispo había seleccionado a un recluso implicado en el rapto y asesinato de José Soledad Torres, obispo de Ciudad Obregón —ocurrido en marzo de 1967— y para el papel del Prior. . .

—Con el Prior tuvimos un problema —dijo Téllez Girón—. El interno que lo iba a interpretar era dedicadísimo, se sabía el papel de maravilla y gracias a eso gozaba de muchos privilegios: lo dejaban salir del reclusorio para ayudar en los preparativos del montaje, iba de aquí para allá por todo Durango, y en una de ésas se aprovechó de su situación y escapó. Se fugó la semana pasada. Tuve que sustituirlo a última hora.

En la función que presencié en el Centro de Rehabilitación Social de Durango no se notaba la ausencia del actor estrella. El Prior sustituto lo hacía muy bien, lo mismo que el Obispo, compenetradísimo. El trabajo de conjunto era elemental pero digno. Más digno al menos que la truculenta película que se filmó en 1972 con mi culpable complicidad. La versión cinematográfica de *Pueblo rechazado* se llamaba *El monasterio de los buitres*, y en ella el director Francisco del Villar se las ingenió para hacer intervenir en el reparto a Irma Serrano. Se me criticó con toda razón haber contribuido a esa versión infame, pero sea como sea *Pueblo rechazado* ya había mostrado en el teatro, durante tres meses, su dimensión real. La Asociación Mexicana de Críticos la incluyó en la terna de la mejor obra nacional de 1968 —el premio se lo dieron a Emilio Carballido por *Medusa*— y el diario *El heraldo* me forzó a alquilar un traje de etiqueta en Marcelo para recibir un trofeo *opera prima* durante su fiesta anual.

En enero de 1969 llegamos a las cien representaciones de *Pueblo rechazado* a teatro lleno, y a teatro lleno deberíamos concluir de inmediato la temporada porque las autoridades del IMSS tenían ofrecido el Xola a Ofelia Guilmáin y Lorenzo de

Rodas para el montaje de *Locura de amor* de Manuel Tamayo y Baus. Retes y Lizalde trataron de conseguir unas semanas más, pero el compromiso con la Guilmáin era inaplazable. Les ofrecieron sin embargo trasladar la obra al teatro Hidalgo o, en el peor de los casos, al Tepeyac.

Retes estaba dispuesto a aceptar cualquiera de las dos propuestas, pero Lizalde no. Discutieron.

—Es preferible terminar la temporada a teatro lleno que exponernos a un fracaso en otra sala —dijo Lizalde.

—Pero cuál fracaso, Enrique —repeló Retes—. El Hidalgo es magnífico.

—Es muy grande. Está frío. La gente no irá.

—Si no va, cerramos. No pasa nada. Yo estoy convencido de que hay que mantener una obra todo lo que se pueda. Hasta que el público deje de ir.

—Es más impresionante terminar en pleno éxito. Será un hito en la historia del teatro mexicano.

—Pero cuál historia, Enrique, por favor. Dentro de dos años nadie se acordará de nuestra puesta.

—No. Cerramos —dijo Lizalde.

Y como Lizalde era protagonista, empresario y director de Teatro Documental, no hubo traslado al Hidalgo ni al Tepeyac. A teatro lleno terminó de golpe la temporada.

Cinco años después, Retes repuso *Pueblo rechazado* en el Independencia, dentro de la temporada de Teatro Popular de México, con Rubén Rojo como Prior y Gustavo Rojo como Analista. No fue lo mismo. No hubo colas en la taquilla, no hubo llenos, no hubo polémicas, no se produjo la menor conmoción.

Pueblo rechazado había dado de sí todo lo que podía. Tal vez para siempre.

LOS ALBAÑILES (1969)

Ignacio Retes y yo tomábamos café en el foyer del teatro Xola, durante una representación de *Pueblo rechazado*. Le dije:

—He estado pensando en adaptar al teatro *Los albañiles*.

Retes dejó a un lado la taza de café y me miró por encima de sus anteojos.

—¿*Los albañiles*?

—He estado pensando. . .

—Ya. Ni lo piense. Luego luego. La ponemos.

—Se me ocurre. . .

—Ya, Vicente. Váyase a escribir.

No me dejó explicarle mis ideas. Creía haber encontrado para *Los albañiles* una estructura dramática que me permitiría trasladar al teatro algunos hallazgos formales de la novelística actual. De acuerdo con mis criterios de entonces, la mayoría de las piezas realistas del teatro mexicano se había entrampado en el callejón sin salida de una forma rígida y convencional. Usigli tenía razón: mientras no se agotaran las posibilidades realistas el salto al absurdo o a las concepciones locas era una simple puerta de escape del dramaturgo. Pero justamente para sacar todo el provecho a aquellas posibilidades se hacía preciso romper las paredes escenográficas de los salones provincianos, el trazo cronológico de los acontecimientos, el psicologismo epidérmico de los personajes. Como lo había conseguido la narrativa latinoamericana, el teatro podía también enriquecer su realismo con el juego libre, abierto, de la cronología, el espacio, el punto de vista, la identidad.

Partiendo de *Los albañiles* me era relativamente fácil poner en práctica lo que para mí constituía un descubrimiento personal. Sólo necesitaba encontrar las equivalencias teatrales a los malabarismos narrativos utilizados con abundancia en mi novela. Quería, además, acentuar el carácter simbólico del personaje don Jesús porque hasta entonces casi ningún lector, ningún crítico habían querido ver en el velador una imagen del Jesucristo evangélico. Ahora, en la adaptación al teatro, se me presentaba la oportunidad de subrayar ese elemento simbólico que yo consideraba fundamental en *Los albañiles*.

Nunca he vuelto a escribir una pieza de teatro con tanta rapidez. En poco menos de tres semanas tuve lista una versión definitiva, en limpio. Se la llevé a Retes.

—¿Tan pronto?

—La verdad es que ya había empezado a escribirla desde hace tiempo —mentí.

Retes empezó a preparar el montaje de *Los albañiles* apenas terminó la temporada de *Pueblo rechazado* en el Xola.

Primero habló con Enrique Lizalde, pensando en un segundo trabajo de Teatro Documental, aunque se daba cuenta de que en *Los albañiles* no había un papel protagónico para Enrique; solamente le iba el papel de Munguía, bueno pero secundario. Desde luego, Lizalde rechazó la propuesta.

—Pero no porque no haya un papel para mí —se apresuró a aclarar—; en una obra importante yo trabajaría de lo que fuera. Lo que pasa es que *Los albañiles* no es teatro documental y nuestro grupo debe mantenerse fiel a una línea, buscar una continuidad con *Pueblo rechazado*. Ésa es la razón.

Retes mandó sacar una segunda copia de la obra, la dio a leer a Ignacio López Tarso y trató de convencerlo de que se caracterizara de viejo para interpretar a don Jesús o de que aceptara el papel de Jacinto. Ninguna de ambas propuestas satisfizo a López Tarso. Pero la obra le gustaba mucho, dijo, muchísimo. Si no podía participar en ella como actor —porque los papeles le quedaban chicos— podía hacerlo como empresario, en sociedad con Retes, aprovechando que acababan de ofrecerle la concesión de los dos teatros de la Unidad Tlatelolco: el Antonio Caso y el Cinco de Mayo. Salas grandes, magníficas, bien equipadas, decía López Tarso.

Cuando Retes me habló de presentar *Los albañiles* en el Antonio Caso me asusté.

—¿Pero quién conoce el Antonio Caso, maestro? Hace años que no funciona. Está helado.

—Con *Albañiles* se calienta.

—O se hunde definitivamente, con todo y mi obra.

—No se hundirá. Yo tengo mucha confianza. López Tarso también.

—Él no arriesga nada.

—Su dinero.

—Unos cuantos pesos que no le importan. Lo único que le importa a López Tarso es su fama de actor, y ésa no la arriesga. Si López Tarso fuera a trabajar como actor en *Los albañiles* no escogería ese teatro, maestro, no lo escogería. Cuando él piensa montar el *Cyrano*, o la obra que sea, consigue el Hidalgo, o el Xola, o el que se le antoje; tiene influencias para eso y más, pero sólo las usa cuando le conviene.

—El Antonio Caso es nuestra única posibilidad —dijo Retes.

—Entonces ni hablar

—Nos va a ir muy bien, no se apure.

—Al menos tendremos un buen reparto, me imagino.

—Claro que sí —prometió Retes.

En el teatro profesional independiente el sistema habitual para elaborar un buen reparto consistía en apuntar de entrada hacia lo más alto posible, a las primerísimas figuras, y a medida que éstas iban rechazando ofrecimientos se hacía descender la mira a actores de segunda, de tercera y hasta de cuarta categoría. Primero se pensaba en traer a Richard Burton y al final se contrataba a un esforzado desconocido.

Como el Richard Burton que en el teatro mexicano era López Tarso había dicho no, y también no Enrique Lizalde, Retes se exprimía la cabeza barajando nombres.

¿Qué tal Manuel Medel como don Jesús?

—Sería un trancazo resucitar al cómico carpero en una obra seria ¿no? Jalaría mucha gente.

Manuel Medel no aceptó porque en la obra se decían muchas majaderías y a él no le gustaba ofender a su público, dijo.

¿Qué tal José Gálvez como don Jesús, David Reynoso como Jacinto y el Piporro como el Chapo?

José Gálvez pidió tres veces más dinero del que le ofrecía Retes, y David Reynoso y el Piporro se consideraban demasiado importantes para aceptar coactuaciones.

Retes terminó encabezando su reparto con Guillermo Zetina en el papel de don Jesús. Zetina no era Richard Burton pero sí un actor versátil que había ganado fama y respeto por sus frecuentes trabajos en telenovelas y teleteatros. Lo mismo hacía de galán que de hombre maduro o anciano matusalén. Además de Zetina se contrataron a Luis Aragón para Jacinto, José Carlos Ruiz para el Chapo, Mario García González para Pérez Gómez y una decena de actores poco conocidos: Alberto Gavira, Octavio Galindo —recomendado de José Solé—, Esther Guilmáin —hija de Ofelia—, Gabriel Retes —hijo del director—, José Ramón Enríquez, Eugenio Cobo, Arturo Benavides, Guillermo Gil. . . También era poco conocida Félida Medina a quien Retes encargó el proyecto escenográfico.

Como lo demostró con el tiempo, el grupo tenía un alto nivel profesional pero carecía de nombres llamativos capaces de arrastrar carretadas de espectadores al gélido teatro de la Unidad Tlatelolco.

—Vamos a ver.

Empezaron los ensayos y empezaron los problemas con Guillermo Zetina. Era un faltista de lo peor. Asistía a dos de cada cinco ensayos semanales: primero, porque sus múltiples quehaceres como ejecutivo de la ANDA y como presidente del Centro Mexicano de Teatro y del Instituto Latinoamericano de Teatro lo llenaban de compromisos, y después porque una vieja afección cardiaca lo traía delicado de salud. Llegaba a los ensayos con semblante de enfermo:

—¿Puedo ensayar sentado, maestro Retes? Ojalá que no tenga que marcarme muchos movimientos porque el médico me prohibió todo esfuerzo extraordinario.

Empecé a preocuparme:

—Zetina no se sabe todavía el papel y está enfermo, mírelo. ¿Usted cree que aguante toda una temporada?

—Claro que aguanta —respondió Retes—. El papel de don Jesús es un papel tranquilo.

—¿Tranquilo?

Para Luis Aragón y José Carlos Ruiz la enfermedad de Zetina era más cuento que nada. La verdad es que le asustaba el compromiso y andaba buscando un pretexto para zafarse, decían.

Una noche, Guillermo Zetina se presentó en el Antonio Caso, a la hora en que estaba a punto de concluir el ensayo, sólo para decir que su cardiólogo le había prohibido terminantemente trabajar en teatro. Lo sentía muchísimo y pedía disculpas a todos. De veras lo sentía muchísimo.

—Te lo dije —me sopló al oído Luis Aragón—. Son pretextos. Se dio cuenta que no puede con el papel. Claro, no es lo mismo hacer televisión que teatro. Esto no es tan fácil.

No eran pretextos. Meses después, en 1970, Guillermo Zetina murió de un infarto.

La renuncia del primer actor me hizo conocer a un Retes nervioso y preocupado. Se rascaba la cabeza mientras iba de un extremo a otro del foro, fume y fume.

José Carlos Ruiz se me acercó, confidencial:

—Yo puedo hacer don Jesús. Me sé el papel de memoria.

—¿Tú?

—Yo.

—Estás fuera de edad, no te queda hacer un viejo. . . Además, ¿quién hace el Chapo?

—Es más fácil encontrar un sustituto para el Chapo que para don Jesús. Yo puedo hacer el viejo. Dile a Retes.

La seguridad en sí mismo y la audacia eran virtudes notables de José Carlos Ruiz. Gracias a ellas y a su talento logró abrirse camino en la profesión. Apenas unos años antes era un actor de papeles secundarios, hasta que un día oyó que Ernesto Alonso andaba buscando quién interpretara a Benito Juárez para una telenovela sobre Carlota y Maximiliano. José Carlos fue a ofrecer sus servicios sin que nadie lo llamara, pero Ernesto Alonso lo despachó de mal modo. Entonces José Carlos se encerró primero en el almacén de ropa de Berta Mendoza López, en un cuarto de maquillaje después, y salió a recorrer pasillos y oficinas de Televicentro convertido en el vivo retrato de Benito Juárez. Se presentó ante Emilio Azcárraga, ante Luis de Llano, ante Ernesto Alonso. Le dieron el papel, por supuesto, y fue el Benito Juárez de *Carlota y Maximiliano* y de la interminable serie *El carruaje*. Hasta el presidente Díaz Ordaz lo premió con un diploma.

Ahora estaba dispuesto a disfrazarse de don Jesús para convencer a Retes.

No hizo falta. El director se dio de plazo una sola noche para consultarlo con la almohada, y al día siguiente José Carlos Ruiz comenzó a ensayar —con un tono jaloneado que recordaba a Miguel Inclán, el villano del cine nacional de los cincuentas— al personaje protagónico de *Los albañiles*. Para el Chapo llegó, recomendado por su hermano Guillermo Gil, un actor que hacía sus pininos en el teatro universitario y que habría de iniciar con mi obra una brillante carrera profesional: Salvador Sánchez.

Los problemas con el reparto —también renunció Arturo Benavides y tuvo que ser sustituido por Raúl Bóxer en el Munguía— no eran los únicos. La Oficina de Espectáculos del DF se resistía a dar su imprescindible autorización a *Los albañiles* porque el lenguaje de la obra era "obsceno y procaz", porque se abusaba de las palabrotas, de los albures. En el regateo con las autoridades de Espectáculos Retes y yo estuvimos de acuerdo en limpiar los diálogos hasta donde nos fuera posible y sustituir unos cuantos "chingados" por otros tantos "malditos". Con esa condición, y a reserva de que un supervisor de esa oficina confirmara nuestra promesa la noche del ensayo general, se nos dio una autorización provisional. Retes nunca tuvo intenciones de someterse a los requisitos censores. Aceptó y prometió los cambios, pero ya con la autorización provisional en las manos, dejó a los actores pronunciar sus parlamentos tal cual e incluso agregar adlibitum, durante los ensayos, las palabrotas y los ademanes obscenos que consideraban necesarios para subrayar actitudes.

—¿Qué va a decir Espectáculos?

—Nada.

—¿Usted cree?

—Son incapaces de prohibir la obra la víspera del estreno, se les armaría un escándalo. No van a decir nada.

Sí dijeron. La noche del ensayo general, Víctor Moya, el supervisor de Espectáculos, puso el grito en el cielo. Se encaró con Retes:

—Óigame, maestro, qué pasa; se siguen oyendo muchísimas leperadas.

—Exigencias del realismo.

—Pero no quedamos en eso. Usted se comprometió a limpiar los diálogos.

48

—Los limpiamos. Sólo se dicen las palabrotas estrictamente indispensables.

—Yo oí muchísimas.

—Las indispensables nada más.

Mientras Moya discutía con Retes, los invitados al ensayo general —una veintena de amigos y parientes de los actores— exultaban. Ofelia Guilmáin, que había ido a ver a su hija Esther, conmovedora en la Celerina, abandonó su butaca y corrió hacia mí. Se me echó en los brazos:

—Tu obra es extraordinaria, extraordinaria, extraordinaria.

Tal vez Víctor Moya alcanzó a escuchar a Ofelia y a los invitados al ensayo, porque finalmente accedió a convertir en definitiva la autorización provisional, no sin antes suplicar a Retes:

—Pero quítele algunas groserías, maestro Retes, por favor; unas cuantas.

—Se las voy a quitar, no se apure —mintió Retes con una hipocresía impresionante.

Aunque el consenso de los invitados al ensayo general parecía favorable a *Los albañiles* yo tenía una duda muy seria, imputable a mi texto, en relación con una de las últimas escenas del segundo acto. Pérez Gómez, el policía villano que interpretaba Mario García González, profería un larguísimo parlamento con el que yo había querido evidenciar la crueldad de los agentes policiacos y sintetizar, al mismo tiempo, el último capítulo de mi novela. Además de inútil, por moralista, la escena terminó resultando farragosa: por culpa de ella la obra se colgaba hacia el final. Pude haberlo notado antes, durante los ensayos parciales, pero necesité que la obra corriera de principio a fin para advertir aquella falla evidente.

Se lo dije a Retes. Él estaba de acuerdo.

—Suprímala de una vez.

No era fácil tomar la decisión la víspera del estreno. El corte exigiría hacer cambios en la mecánica de los actores que ya no podrían ensayarse —lo cual era riesgoso—, pero implicaba sobre todo privar a Mario García González de su único parlamento importante, de su única oportunidad de lucimiento. Por ese monólogo había aceptado García González el papel de

Pérez Gómez. Suprimirlo en el estreno era como darle una puñalada al actor y como negarle la categoría estelar por la que compartía los créditos principales del reparto con Luis Aragón. A reserva de hablar más adelante con Mario García González, de explicarle la necesidad de suprimir una escena que estaba de más, no por culpa de él sino del autor, Retes decidió estrenar *Los albañiles* con todo y el fárrago inaguantable del segundo acto.

Llovía la noche del 27 de junio de 1969. No era un aguacero pero sí una lluvia pertinaz, menudita, que hizo llegar tarde a la mayoría de los invitados al Antonio Caso para el estreno de *Los albañiles*. Por culpa de la lluvia, de la lejanía del teatro, de su difícil acceso, de los problemas para estacionar, muchos no podían ocultar su malhumor y auguraban a la obra una mala temporada porque quién se va a animar a venir hasta acá: ¿no encontraron un teatro peor? Los amigos parecían más benévolos: llegaban dispuestos de antemano a aplaudir y a hacer creer a los participantes —fuere cual fuere el verdadero resultado— que la obra era un éxito.

Retes me confió esa noche que nunca presenciaba la primera función de sus puestas en escena, y me contagió su hábito. Salí con él a caminar por las calles interiores de la Unidad Tlatelolco bajo el chipi chipi en el que se había resuelto la lluvia.

Regresamos al teatro para el aplauso final. Se oía bonito. Fuerte, tupido como la lluvia de la tarde. Engolosinado me dejé llevar por su ruido sin caer en la cuenta de lo que años después, a fuerza de asistir a estrenos, descubrió Estela antes que yo:

—Desconfía —me decía mi mujer—. Los aplausos de un estreno nunca son de a deveras.

Tampoco eran de a de veras los epítetos en superlativo, las felicitaciones obligadas, los abrazos de rigor. Me estrechaban como si fuera mi cumpleaños, incluso más fuerte. Un compañero que trabajaba en el departamento de arte de la revista *Claudia* exageró su efusividad y me trenzó con un abrazo del oso que me rompió una costilla. Anduve vendado durante meses.

Casi todos los actores de Teatro Documental asistieron al

50

estreno de *Los albañiles* pero ninguno parecía entusiasmado. Ante mí, Enrique Lizalde desdeñaba el trabajo de Retes. Lo mismo Carlos Bracho que había interpretado el Obispo de *Pueblo rechazado*.

Bracho quiso darse aires de ingenioso cuando me aseguró, fingiendo seriedad, haber descubierto el enigma policiaco de *Los albañiles*:

—Ya sé quién es el asesino de tu obra.

—¿De veras? —pregunté inocentemente.

—Es Mario García González —agregó. Y soltó la carcajada.

Bracho no era el único que criticaba la farragosa escena de Pérez Gómez. Durante el coctel que siguió al estreno oí muchos otros comentarios acerbos: era horrible, inútil, un lunar en la obra. Por fortuna Retes los oyó también, y en la tercera o cuarta función, luego de hablar con Mario García González quien supo hacer a un lado todo prurito de lucimiento personal, cortó definitivamente el mentado monólogo.

Un buen número de las primeras reseñas periodísticas sobre *Los albañiles* me vapuleó sin compasión. Nancy Cárdenas se burló de mi pretendida "teología tepitense" y Luis Reyes de la Maza, quien por entonces era el coco de los dramaturgos, el más severo de los críticos, escribió en el suplemento cultural de *Novedades*:

> ¿Por qué Vicente Leñero tuvo la infeliz ocurrencia de trasladar su novela ganadora de premios españoles al teatro? (. . .) *Los albañiles* ni está bien escrita, porque amontonar palabrotas y arrojarlas donde caigan, escribir un diálogo coloquial de camión de segunda, plantear situaciones tan obvias como infantiles, desarrollar una anécdota policial tan elemental como las de Carter Brown, trasladar a la escena una página de la revista *Alarma* y formar un melodrama que no le interesa a nadie, todo eso es muy fácil pero indigno del autor de *Pueblo rechazado*. El que en el programa se diga que la obra está llena de simbolismos, no deja de ser sólo un lugar común. A cualquier cosa se le puede encontrar el simbolismo si se le busca con entusiasmo. Hasta un comercial de televisión puede ser "simbólico", o una de esas novelas ilustradas a la que tanto se parece esta obra de Leñero. Por otra parte, creo que jamás se ha dado el caso de que una novela pueda ser trasladada al teatro con felicidad.

Por fortuna aparecieron otras críticas más tolerantes; algunas francamente entusiastas, como la de Malkah Rabell, y hasta un ensayo freudiano de Julio Ortega para quien la pieza sugería —la pieza, no el autor, se apresuraba a aclarar Julio Ortega— el tema de la culpa por matar al padre: un padre entendido como síntesis misteriosa de la culpa de vivir y conocer.

A lo largo de la temporada, la afluencia de público permitió que la obra llegara y sobrepasara las cien representaciones. No eran entradas tumultuarias, jamás se registró un lleno, pero superaban en mucho lo que pesimistamente habíamos calculado tratándose de un teatro tan desconocido y gélido como el Antonio Caso. Cuando por fin el público comenzó a escasear de manera constante López Tarso habló con Retes de concluir la temporada.

—Ni modo.

—Yo pienso que *Albañiles* podría dar todavía mucho de sí en otro teatro —me dijo Retes.

—¿Usted cree?

—Estoy seguro. El público que ha venido no es ni la mitad del público potencial de esta obra.

—Pero ya no viene.

—Necesitamos otro teatro más céntrico, más acreditado. Se lo dije a Nacho y él está de acuerdo. En ésas andamos.

Feliz por la confianza que demostraba Retes en *Los albañiles* salí del Antonio Caso una noche, al concluir la función. Cruzaba por el largo corredor al aire libre, rumbo al estacionamiento, cuando un hombre apareció de las sombras.

—¿Usted es Leñero?

—Sí.

—Lo estaba esperando. Nomás quería hacerle una pregunta.

Era un tipo moreno, fornido, que meneaba de continuo la cabeza hacia la izquierda, víctima de un tic. Tenía una facha de dar miedo.

—Quería saber por qué se ensaña tanto con los agentes. Son agentes de la policía los de su obra, ¿verdad?

—No es que me ensañe.

—Los pinta como unos hijos de la chingada, claro que sí, como si quisiera demostrar algo. Eso es lo que me interesa saber:

qué pretende demostrar, qué se trae. ¿Ha tratado alguna vez con ellos?, ¿los conoce?, ¿le han hecho algo? Se lo pregunto porque yo también soy agente, mire. —Me mostró una credencial; seguía meneando la cabeza jaloneada por el tic.

Sentí miedo. Nadie transitaba por el corredor: ningún espectador rezagado, ningún actor. Tartamudeé alguna tontería sobre los recursos de la ficción y sobre el personaje Munguía: un hombre que buscaba la verdad limpiamente y que también era policía, un buen policía como seguramente hay muchos, dije cobardemente.

El hombre me miró a los ojos. Dominó el tic:

—Yo nomás le recuerdo que nadie debe hablar de lo que no sabe. ¿Me oyó?

Se dio la mediavuelta y lo vi alejarse rumbo a los edificios de la Unidad Tlatelolco.

El empeño de Retes y López Tarso por trasladar *Los albañiles* a otra sala no. fue vano. Aprovechando sus influencias en el Seguro Social y gracias a que la compañía de Elsa Aguirre se había retrasado con el estreno de *La dama de la luna roja* de Hugo Argüelles, López Tarso consiguió el teatro Xola para los meses de enero y febrero de 1970.

No todos los actores parecían dispuestos a continuar. Después de ciento sesenta y seis funciones en el Antonio Caso más de uno se mostraba reticente aduciendo cansancio o desconfianza de que la obra renovara el interés de los teatrófilos. El más reacio era José Carlos Ruiz, a pesar de que la crítica había elogiado unánimemente su trabajo como don Jesús.

—Yo no me paso al Xola —dijo José Carlos, pedantón.

—¿Pero por qué?

—Porque *Los albañiles* ya dio todo lo que tenía que dar.

—Retes está seguro de que la obra va agarrar un nuevo aire en el Xola.

—Pero cuál nuevo aire, no nos hagamos pendejos. En las últimas funciones ya no iban ni las moscas, ¿qué no viste?

—En el Antonio Caso. El Xola es un teatro muy noble, acuérdate de *Pueblo rechazado*.

—Yo no sigo.

Junto con José Carlos Ruiz, abandonaron *Los albañiles* Esther

Guilmáin, Octavio Galindo y José Ramón Enríquez, a quienes Retes sustituyó rápidamente con Margie Bermejo y Luisa Huertas en Celerina, José Alonso en Isidro y César Castro en el plomero Sergio. Para sustituir a José Carlos propuso a Claudio Obregón el papel de don Jesús que Claudio aceptó de inmediato.

Apenas empezaron las funciones en el Xola empezaron los llenos, las funciones agotadas. En dos meses de temporada, que hubieran podido ser tres o cuatro de no estar comprometido el Xola para *La dama de la luna roja*, *Los albañiles* hizo entrar en taquilla casi tanto dinero como el que entró en el Antonio Caso durante cinco meses, y aún alcanzó a presentarse a lo largo de otro mes en el teatro Once de Julio y luego a salir de gira por la República. Fue un éxito. La Asociación Mexicana de Críticos premió la obra, la dirección de Retes, la escenografía de Félida Medina y la actuación de José Carlos Ruiz, y nuevamente tuve que alquilar un traje de etiqueta en Marcelo para recibir un trofeo de *El heraldo*.

En aquella fiesta de Los heraldos conocí a Julio Castillo: un joven director del que se empezaba hablar como de un genio. Su puesta en escena de *Cementerio de automóviles* de Fernando Arrabal causó sensación en 1968, y en 1969 acababa de hacer un montaje loquísimo de *Los asesinos ciegos* de Héctor Mendoza en El Granero. Por su gordura en proceso estaba en vías de parecerse físicamente a Orson Wells, pero en su trabajo mostraba influencias de Juan José Gurrola y de Alexandro Jodorowski. Para muchos era mejor que ambos. Era la revelación. El director del futuro. Recordando a Usigli le hablé de la importancia de impulsar la dramaturgia nacional, de la necesidad de creer en el teatro de autor ahora que él y muchos jóvenes más de las nuevas hornadas lo relegaban a un segundo, a un tercer plano, cuando no lo consideraban muerto. Mentira —me dijo—, yo creo en el autor. Y me habló de *Los albañiles*. Le había gustado la puesta de Retes, aunque hubiera preferido un don Jesús casi irreal, casi etéreo, a punto de elevare por los aires. Luego, como todos los directores que se interesan teóricamente en la dramaturgia mexicana, me dijo:

—Quisiera dirigir algún día una obra tuya.

54

Yo le respondí lo que a todos:

—Ojalá.

En 1971 Ignacio Retes habló de reponer *Los albañiles* en el Virginia Fábregas y reunió a la mayor parte de los actores de la puesta original. El único problema era que no existía una empresa que invirtiera en el montaje y sufragara los gastos diarios. Si acordábamos reponer *Albañiles* —dijo Retes— deberíamos integrar entre nosotros una cooperativa y aportar, cada quien, una cantidad de dinero inicial.

Nosotros éramos: Ignacio Retes, Félida Medina, Luis Aragón, Claudio Obregón —ahora en el papel de Munguía—, José Carlos Ruiz y yo.

Los seis aceptamos el plan confiados en que la obra no nos haría perder dinero y nos devolvería, en el peor de los casos, nuestra aportación inicial. José Carlos Ruiz fue el primero en decir de acuerdo, de acuerdo, pero a la hora de entregar sus billetes se rascó la cabeza. Me dijo:

—Tengo un problemilla, ¿sabes? Estoy haciendo unas reformas en mi casa y ando metido en un montón de deudas. Tú préstame el dinero de mi parte y yo te voy pagando luego con lo que gane.

Puse de mi bolsillo el dinero de José Carlos, no había de otra.

La temporada de *Los albañiles* en el Virginia Fábregas funcionó noblemente. No alcanzábamos a hacer entradas extraordinarias, pero sacábamos lo suficiente para cubrir, cada semana, la papeleta del crecido número de actores. Cuando las entradas comenzaron a descender, Retes organizó teatro-forums después de las representaciones de entre semana —eso atrae al público, me dijo— y su esposa Lucila se dio a la tarea de vender funciones especiales a empresas y organismos del gobierno. No era una actividad fácil para Lucila. Día con día soportaba negativas con buenos o malos modos, hasta que al fin, después de prolongados esfuerzos, logró vender su primera función especial a un sindicato de albañiles. Retes programó un teatro-forum para completar el acto.

Casi nunca asistía yo a los teatro-forums en que público y actores intercambiaban opiniones sobre la obra recién escenificada, pero esta vez me pareció interesante la posibilidad de oír hablar a los albañiles de a deveras de *Los albañiles*.

Mi primera sorpresa fue encontrar la sala del Virginia Fábregas semivacía. Pese a que el sindicato había repartido gratis todos los boletos entre sus agremiados, un gran número de albañiles se desentendió por lo visto del regalo: tiró el boleto en cualquier parte, lo perdió, sintió flojera de asistir.

—Eso es lo que pasa siempre con las funciones especiales —me dijo Luis Aragón—. La gente que se interesa en una obra es la que paga su boleto. En el teatro no funciona el acarreo.

Terminó la representación y empezó el teatro-forum.

De una butaca de la cuarta fila se levantó un espectador que de inmediato se identificó como maestro de obras. Iba trajeado impecablemente: traje azul, saco cruzado, brillante corbata roja. Carraspeó antes de comenzar a hablar con voz ronca, potente:

—La comedia que acabamos de ver —carraspeó por segunda vez— es un atentado contra los nobles trabajadores de la mezcla y la cuchara —dijo—. Un insulto a su dignidad. Una burla a su oficio. Usted, usted —y me señalaba con el brazo extendido— nos pinta como rateros, borrachos, mariguanos, adúlteros, malhablados. Que algunos compañeros lo sean no le da ningún derecho a medirnos a todos con el mismo rasero. Yo protesto de la manera más decidida contra esta comedia que denigra a una clase obrera humilde pero honrada. Usted nos ofende. Usted miente.

La sorpresa me quitó el habla. Si algo habían elogiado hasta entonces los comentarios y las críticas periodísticas era justamente el "sentido social" de *Los albañiles*, su "compromiso" con la clase trabajadora, su "mensaje subversivo" en pro de los humildes, su aliento popular. Y ahora resultaba que no, que era todo lo contrario. Vista desde la perspectiva de los andamios la pieza era poco menos que difamatoria; parecía escrita con objeto de insultar, no de exaltar a los albañiles.

Dije al fin un par de lugares comunes para salir de atolladero, pero el maestro de obras espectador me replicó con una nueva andanada. Salí del teatro media hora después sintiéndome el más reaccionario de los escritores.

No regresé al Virginia Fábregas hasta que me dijeron que había problemas con José Carlos Ruiz.

—¿Qué pasa, José Carlos?

—Nada. Lo único que pasa es que me largo, dejo la obra. Mañana voy a dar mis siete días.

—¿Pero por qué?

—Porque ya me cansé, porque ya no soporto. La obra se ha vuelto un desmadre. A todo mundo le da por cambiar los parlamentos y decir leperadas sin ton ni son, y el maestro Retes no pone orden, ni siquiera se para por aquí. Cuando no hay mucho público Luis Aragón se come la mitad de sus frases para acabar rapidito.

—¿Tú no?

—Yo también le corto un poco al monólogo, pero es por eso: porque ya me cansé. Mañana doy mis siete días.

—No la chingues, José Carlos.

—Sí la chingo. Me voy.

—Acuérdate que me debes dinero. Dijiste que me ibas a pagar poco a poco lo de tu parte en la producción.

—Cuando acaben la temporada y vendan los palos de la escenografía, de ahí te cobras.

—Pero qué nos van a dar por unos cuantos palos y unos tubos usados

—Si no les dan nada es porque son pendejos. Yo me voy.

—No la chingues, José Carlos.

Con el disgusto de todos los actores de la obra, y sin pagarme un centavo, José Carlos Ruiz abandonó *Los albañiles*. Esta vez Ignacio Retes no pensó en sustituirlo con Claudio Obregón, porque Claudio estaba muy bien en el Munguía. Prefirió quitar del Patotas a Alberto Gavira y ponerlo a actuar de don Jesús. No era la primera vez que Gavira interpretaba al velador. En 1970, durante la gira de *Los albañiles* por la provincia, hizo el papel en varias plazas, aunque a regañadientes, igual que ahora.

—No me repele, Gavira, ándele —le decía Retes.

—Es que prefiero el Patotas, maestro Retes. El don Jesús no me va. Me impone mucho hacerlo aquí.

—Ya se sabe el papel, ándele. No tenemos quién.

Nada más por no dar al traste con la temporada en el Virginia Fábregas aceptó Gavira disfrazarse de don Jesús. Para darse valor —decía— cada noche se animaba con un par de tragos en su camerino antes de salir a escena. Una noche excedió la dosis y ya cuando le avisaron de la tercera llamada el actor no las traía todas consigo —al menos eso chismearon después sus compañeros.

Como se prescindía del telón y como la obra empieza cuando Isidro descubre el cadáver de don Jesús en un segundo piso, Gavira necesitaba colocarse, con el foro totalmente a oscuras, en una plataforma elevada casi tres metros del suelo. Lo hacía subiendo sigilosamente por un andamio y acomodándose en el sitio, de manera que cuando la luz del escenario se encendía el público se enfrentaba directamente a la situación inicial: un hombre tendido en una plataforma y un chamaco tembloroso contemplándolo.

Aquella noche los tragos, el nerviosismo, la oscuridad absoluta del foro equivocaron el camino del actor. Gavira no dio con el sitio: avanzó un paso más y ¡cataplum!, se desplomó hasta el piso como quien cae al vacío. El trancazo fue tremendo pero el instinto profesional de Gavira lo impulsó a superar el trance: a gatas, dolidísimo, volvió a subir hasta la plataforma y se acomodó en su posición de cadáver. Ni espectadores ni tramoyistas advirtieron el percance. Sólo Roberto Sosa, que hacía el papel de Isidro y que también a oscuras trepaba por los andamios para ir a situarse en su posición inicial, se dio cuenta de la caída de su compañero, pero no tuvo tiempo de ayudarlo.

Cuando la luz del escenario se encendió para dar comienzo a la obra, Roberto Sosa miraba aterrado a Gavira como si Gavira fuera de veras el cadáver de don Jesús. Nunca la escena del descubrimiento del velador muerto resultó tan convincente. Se quejaba Gavira lo más quedo posible, mientras Roberto Sosa —en su expectante actitud de Isidro contemplando el cadáver de don Jesús— le preguntaba entredientes:

—¿Está usted bien, señor Gavira?

—Me muero —gemía Gavira.

—Pero qué santo chingadazo se dio, señor Gavira —murmuraba Roberto Sosa entredientes.

—Me muero, me muero —seguía diciendo Gavira.

Gavira no murió. Vivo, acrecentado su espíritu profesional

por el accidente, pero quebrantado y zombi, atracándose de calmantes durante sus mutis y el entreacto, Gavira dio completa la función. Cuando al fin regresó a su camerino ya lo estaban esperando los camilleros de una ambulancia. Lo llevaron a la clínica de la ANDA y los médicos descubrieron el dislocamiento de una vértebra cervical que obligó al actor a guardar absoluto reposo durante meses. En su lecho de enfermo, Gavira no dejaba de repetir con orgullo:

—Pero di completa la función. No me rajé. Me estaba muriendo, pero aguanté hasta el final.

—Muchas agallas, señor Gavira.

—Puro amor al teatro, maestro, puro amor al teatro.

Con Claudio Obregón nuevamente en el papel de don Jesús, *Los albañiles* llegó en el Virginia Fábregas a sus trescientas representaciones.

Para entonces ya conocía yo a Brígida Alexander: actriz, madre de actriz —de Susana Alexander—, escritora, traductora y agente teatral. Por su conducto llegaban de Europa las obras más recientes de grandes dramaturgos que ella traducía y proponía luego a empresarios mexicanos. Desde la temporada en el Antonio Caso, Brígida Alexander vio en *Los albañiles* una obra capaz de conquistar los escenarios extranjeros y se comunicó conmigo para ofrecerme sus servicios como agente teatral. Firmaríamos un contrato por tiempo indefinido y ella estaba segura —segurísima, dijo— que ambos veríamos triunfar la obra en Alemania, Inglaterra, Francia, España. . . Ganaríamos fortunas.

Pese a la elocuencia de Brígida no me entusiasmé como debiera con sus profecías maravillosas: mi desafortunada relación con Carmen Balcells me había vuelto escéptico respecto a las agentes literarias. En 1965, antes de que Carmen Balcells se convirtiera en la institución que ahora es, en la agente impar de los novelistas latinoamericanos, cuando Gabriel García Márquez no escribía aún *Cien años de soledad* y García Márquez y yo éramos en México los únicos novelistas representados por la agente catalana, Carmen Balcells me aseguraba también que ella conseguiría para *Los albañiles*-novela y *Estudio Q* —sobre todo para *Estudio Q,* enfatizaba— traducciones en todo el mundo. Enloquecí entonces de esperanzas, pero no obstante las gestiones de Balcells sólo llegué a ver una traducción al rumano de *Los albañiles*. Carmen Balcells terminó olvidándose de mí y de mi literatura, y yo de ella, por supuesto.

Ahora se me presentaba otra agente interesada en mi teatro, y era necesario decir que sí pero sin abrigar demasiadas ilusiones.

Me cautivó Brígida Alexander. Aunque siempre vestía ropa de colores llamativos, por su edad y por su nombre me recordaba a la Brígida del Tenorio. Era una llamarada hablando, proponiendo planes, revolviendo papeles para buscar algo que nunca encontraba, asegurando el éxito internacional de *Los albañiles*.

—¿Y mis otras obras? Si usted va a ser mi agente, manejará todo el teatro que yo escriba, supongo.

—Claro que sí.

—Empezando con *Pueblo rechazado*.

—*Pueblo rechazado* no me gusta. Yo estoy dispuesta a manejarle todas sus obras, desde luego, pero mire, hablando con franqueza le diré que a mí me cuesta mucho trabajo proponer obras que personalmente no me gustan. *Los albañiles* me encanta, pero *Pueblo rechazado* no me interesa ni creo que le interese a nadie en el extranjero.

Firmamos un primer contrato en el que yo le cedía el diez por ciento de mis derechos de autor. Con el tiempo, en sucesivos contratos, ese porciento creció al veinte y luego al treinta. Me parecía de entera justicia acrecentar las virtuales ganancias de Brígida Alexander. Ella invertía dinero de su bolsillo en mandar traducir *Los albañiles* al alemán, al inglés —sin lo cual era imposible gestionar la obra— y sufría además los innumerables gastos de la correspondencia. Todo con una gran fe y un optimismo ejemplar.

—Ya verá. Cuando *Los albañiles* se estrene en Europa nos lloverán ofrecimientos y ganaremos mucho dinero.

Pura fe. La obra siempre estaba a punto: a punto de que Marsillac la estrenara en Madrid, a punto de que Jorge Hacker la montara en Buenos Aires, a punto de que subiera a la gloria del Volkstheater de Rostock, en Alemania Democrática.

—Si llega a Rostock será la consagración —me decía Brígida Alexander—. De ahí a la fama.

Mientras llegaba la fama, *Los albañiles* consiguió aislados montajes experimentales en la provincia y en un par de universidades de Estados Unidos. En 1974, Ignacio Retes la repuso por tercera ocasión en el teatro Jorge Negrete y en el Tepeyac —con José Carlos Ruiz, Alberto Gavira, José Gómez Cruz. . .— dentro de una temporada de teatro popular auspiciada por el Departamento del DF. También en 1974 —aunque sin la intermediación de Brígida Alexander— *Los albañiles* logró asomarse por primera vez al extranjero. El mexicano Raúl Zermeño, radicado por aquellos años en Varsovia, hizo de la pieza una adaptación para la televisión polaca con el título de *La investigación* que le mereció elogios de la crítica. Cuando Zermeño regresó a México un año después trató de dar a conocer aquí su versión televisiva, pero ni el Canal 13 ni Televisa se interesaron en el videotape.

Historia aparte fue la adaptación cinematográfica de *Los albañiles* que derivó más de la novela que de la obra de teatro*. Con Ignacio López Tarso como don Jesús, Jorge Fons filmó en 1976 la película y mereció por ella el Oso de Plata en el Festival de Berlín de 1977.

Desde luego me complacían mucho los sucesivos montajes de mi obra, la versión televisiva de Zermeño, la película de Fons, pero contagiado por Brígida Alexander terminé haciéndome a la idea de que sólo cuando *Los albañiles* subiera a escena en los teatros europeos podría saborear un verdadero éxito. Mientras tanto me esforzaba por convencer a mi agente de que también hiciera algo por las demás obras que yo iba escribiendo al paso de los años:

—*Compañero,* Brígida.

—No me gusta.

—*La carpa. . .*

—No tiene garra.

—*El juicio.*

---

* Sobre la película *Los albañiles,* ver prólogo de VL a *Los albañiles,* guión cinematográfico de José Revueltas. Editorial Premiá (en proceso de edición).

—A quién le va a interesar.

—*La mudanza,* Brígida; proponga a los alemanes *La mudanza.*

—No —contestaba Brígida—. No no no no no... ¿Sabe una cosa? Usted es autor de una sola obra que vale la pena: *Los albañiles.* Y eso es más que suficiente. Acéptelo.

Los empeños de Brígida Alexander a lo largo de diez años lograron por fin su cometido. Para el diez de febrero de 1980, bajo la dirección de Karlheinz Adler y la participación del primer actor Hermann Wagemann como don Jesús, se anunció el estreno de *Los albañiles* en el Volkstheater de Rostock con el título *Ustedes mataron a don Jesús.*

—¡Rostock, Leñero; al fin conseguimos Rostock! —la voz de Brígida exultaba a través del hilo telefónico—. Al fin, al fin, al fin.

Como mi agente y yo estábamos imposibilitados por lo económico para viajar hasta Alemania Democrática, tuvimos que aguardar en México las noticias del estreno y la lluvia de contratos europeos que sin duda derivarían, al decir de mi agente, de aquellas primeras funciones en alemán de la obra. Tardaron en llegar las informaciones. Cuando finalmente las recibimos, noticias y críticas periodísticas estaban muy lejos de referirse a *Sie haben Don Jesús umgebracht* como a una obra fuera de serie. Comedidos, respetuosos, los críticos alemanes elogiaban la puesta de Adler, el trabajo de los diecisiete actores, y perdonaban la vida al autor:

> México no tiene ciertamente un teatro de nivel mundial, pero los espectadores recibieron una obra interesante y una experiencia social y literaria.

Ni siquiera supimos cuántas representaciones soportó en Rostock *Los albañiles.* Desde luego no conquistó el mundo.

COMPAÑERO (1970)

En septiembre de 1969 Enrique Lizalde no hablaba más que de teatro documental, teatro documental, teatro documental, convencido de que no existía en México un camino más trascendente que el de presentar obras sobre la problemática social y política del país y del mundo. La puesta en escena de *Pueblo rechazado* le permitió dar el primer paso y formar un grupo, y ahora sólo era necesario convertir ese grupo en una compañía estable.

El temperamento autoritario de Enrique no hacía fácil la tarea. De los miembros fundadores de Teatro Documental, reunidos para el montaje de *Pueblo rechazado*, Ignacio Retes, Guillermo Murray y José Carlos Ruiz se negaron a continuar, aduciendo que Lizalde sólo sabía escuchar a Lizalde. Nadie más tenía derecho a opinar ni a tomar decisiones.

—Son pretextos —replicaba Lizalde—. Lo que pasa es que no tienen formación política. Piensan en el teatro como en una chamba. Les interesa una obra cuando hay un papel o un trabajo para ellos. Nada más. Que se vayan, no importa, llamaremos a otros.

Enrique llamó a Carlos Fernández, a Aarón Hernán, a Héctor Gómez y a Sergio Bustamante. Sumados a Enrique, Carlos Bracho y yo completamos un número de siete.

—Suficiente —dijo Enrique—. Ahora hay que buscar una obra.

Mientras ellos revisaban los repertorios de obras testimoniales latinoamericanas y europeas yo me puse a releer *El diario del Che en Bolivia* y a consultar libros y biografías sobre el guerrillero asesinado en octubre de 1968. El Che Guevara era un gran tema para una pieza de teatro documental, pensé, un gran tema. Lo comenté con Enrique Lizalde. En un principio Lizalde no mostró gran entusiasmo, pero ya que estaba yo metido en el asunto me recomendó un libro de Rubén Vázquez Díaz editado por Siglo XXI, *Bolivia a la hora del Che*, en el que se publicaba íntegra la exposición de defensa de Regis Debray durante el proceso que le siguieron los militares bolivianos.

65

Debray era para Enrique, por su polémica actuación en la guerrilla de Bolivia y por todo lo que podría simbolizar como intelectual europeo embarcado en la revolución latinoamericana, un personaje sumamente teatralizable. Después de leer todo lo que pude sobre Debray y de Debray yo estuve de acuerdo —pensaba además que el personaje le iba bien a un actor como Enrique Lizalde—, pero insistía en apuntar más alto: al Che; una obra sobre el Che: eso sí me apasionaba.

Reunido y analizado todo el material que consideré suficiente, tardé en encontrar una clave estructural para la composición de la obra. Decidí recurrir entonces a un desdoblamiento del protagonista semejante al que utilizaba Paul Claudel en *El libro de Cristóbal Colón*. Así como Claudel desdoblaba en dos actores al descubridor de América, el Cristóbal Colón del escenario y el Cristóbal Colón del proscenio —la historia y el mito—, yo desdoblaría al Che Guevara —aunque menos ambiciosamente— en dos personajes Comandante: Comandante 1 y Comandante 2: el hombre de acción y el hombre de ideales, el político y el humanista. El enfrentamiento de ambas personalidades, es decir, la lucha interior del Che, el supuesto drama de sus contradicciones, sería la médula de mi obra.

Mientras Lizalde viajaba a Buenos Aires para la filmación de una película escribí un primer tratamiento de *Compañero* que le dí a leer tan pronto regresó a México y reunió en su casa a los siete miembros de Teatro Documental.

Enrique no ocultaba su entusiasmo ante el movimiento teatral argentino, ante la forma en que funcionaban allá los grupos independientes, ante los autores nacionales: Cuzzani, Dragún, Pavlovsky, Gorostiza.

Precisamente de Carlos Gorostiza traía su más reciente obra, *El lugar*, que podría ser —dijo— la segunda puesta en escena de Teatro Documental.

—Necesitamos abrirnos al teatro latinoamericano —subrayó Enrique— y presentar otro tipo de obras.

—¿Otro tipo de obras?

Sergio Bustamante repitió la pregunta:

—¿Otro tipo de obras, Enrique? Habíamos quedado en poner puro teatro documental.

—¿Es teatro documental la obra de Gorostiza? —dijo Héctor Gómez.

—Óiganla —respondió Enrique. Y acto seguido se puso a leer en voz alta *El lugar*.

La pieza de Gorostiza evidenciaba el gran oficio del dramaturgo argentino pero nada tenía que ver con el teatro de testimonio que el propio Lizalde había fijado como línea a seguir por el grupo. Era un drama de comportamientos que a ratos recordaba *La ratonera* de Agatha Christie. Me extrañó que Lizalde nos propusiera una obra así, tan ajena a su línea, sobre todo después de oír las razones que meses antes había dado para no montar *Los albañiles* con Teatro Documental.

Al concluir la lectura, Sergio Bustamante saltó:

—Esto no es teatro documental ni yendo a bailar a Chalma.

—Es teatro político —dijo Enrique—. También debemos poner obras que traten los problemas de nuestro tiempo con otra óptica.

—Pero es malísima —dijo Héctor Gómez—. Malísima. Yo no la pondría nunca.

—No nos va, no nos va —intervino calmadamente Carlos Fernández—. Es interesante pero está al margen de nuestros objetivos.

El rechazo unánime de los miembros del grupo hizo retirar a Enrique su propuesta, y gracias a eso, y a que nadie encontró ni siguió buscando piezas documentales, se abrió el camino para la puesta en escena de *Compañero*.

Los primeros planes para este segundo trabajo sonaban muy bien.

Con objeto de combatir el vedetismo, Lizalde habló de rotar los papeles entre los participantes de Teatro Documental. El actor que en una función hiciera de Comandante 1, haría en otra un personaje secundario o un comparsa guerrillero. No habría primeros ni segundos actores de planta. Todos trabajarían de todo, lo cual acrecentaría además, para el público, los atractivos de la puesta: "Ya vimos a Sergio Bustamante de Comandante 2, ahora vamos a verlo de simple guerrillero."

Sonaba bien el plan, pero era irrealizable. Lo rechazó categórico José Solé, a quien Enrique llamó para dirigir *Compañero*:

—Necesitaríamos ensayar el doble o el triple del tiempo y tener un grupo muy bien integrado con un nivel de actuación parejo. Imposible.

—Tal vez más adelante.

—Más adelante —dijeron todos. Y se integró el reparto al modo tradicional.

Dado el cierto parecido físico entre Enrique Lizalde y Carlos Bracho yo proponía que ambos intervinieran en el desdoblamiento del Che: Enrique como Comandante 1 y Carlos como Comandante 2. Pero Bracho no pensaba participar en *Compañero*.

—Me encantaría pero no puedo —dijo—. Ya me comprometí con Dolores del Río para hacer el Armando en *La dama de las camelias* que José Quintero va a venir a dirigir, imagínense. Desde luego sigo con Teatro Documental hasta la muerte. Estoy con ustedes. Me espero a la siguiente obra.

El desdoblamiento se integró entonces con Lizalde como Comandante 1 y Sergio Bustamante como Comandante 2. A Héctor Gómez le tocó el papel de Regis Debray, el Intelectual; a Carlos Fernández una breve parte como el personaje que simbolizaba a Fidel Castro, y Aarón Hernán se excusó: también él, como Bracho, había hecho compromisos de antemano.

De los vodeviles en los que siempre trabajaba, Enrique rescató y concientizó a Carlos Riquelme para interpretar el Político, y pensó en Ofelia Guilmáin para la Maestra.

—Ofelia no va a aceptar un papel secundario —dije a Lizalde.

—Si yo se lo pido sí.

Aceptó encantada Ofelia. Encantada de hacer teatro documental, dijo. Encantada de interpretar un papel pequeño pero buenísimo. Encantada de trabajar con un hombre tan valioso como Enrique. Y ya embarcada en la aventura, Ofelia Guilmáin hizo valer sus influencias en el Seguro Social para ayudarnos a conseguir un teatro. No se pudo el Xola pero nos ofrecieron el Hidalgo. Dos o tres meses antes la propuesta habría resultado espléndida. En aquellos días, sin embargo, las obras del metro tenían convertida la avenida Hidalgo en una zona de desastre. Precipicios y montañas de escombros, empalizadas, cerros de

68

materiales, herramientas, máquinas, obligaban a emprender complicados rodeos a quienes se dirigían a la clínica del Seguro o a su gran teatro adjunto.

—Ahora nadie acepta el Hidalgo —dijo Sergio Bustamante—. Por eso nos lo ofrecen.

—No irá nadie —dijo Héctor Gómez.

—Tratándose de una obra sobre el Che irán los jóvenes —dije yo, engreído.

—Tratándose de una obra de Teatro Documental —completó Lizalde— la gente irá a donde sea y como sea.

Aceptamos el Hidalgo e iniciamos los ensayos en el teatro Independencia que resultaba más accesible. Para los gastos de producción —trabajaríamos en forma de cooperativa— nos dividimos el presupuesto entre los siete miembros de Teatro Documental. Compramos uniformes grises, cascos, rifles, postas para las simuladas balaceras, cantimploras. . . Los rifles eran de primera, nuevecitos. La armería nos exigió, desde luego, los permisos correspondientes de la Defensa Nacional que responsabilizaban a cada propietario del mal uso que se pudiera dar al arma. Yo me responsabilicé de un rifle, confiado en que al terminar la temporada de *Compañero* pasaría a ser de mi propiedad, pero olvidé pedírselo a Enrique y él se lo quedó para siempre, junto con todo el resto del equipo.

José de Molina se ofreció para componer las canciones revolucionarias que exigía la obra. De Molina había actuado en *Pueblo rechazado* y actuaría en *Compañero,* pero su fuerte era la guitarra. Cuando *Los albañiles* él puso música a un corrido que yo escribí y que se tocaba, grabado en cinta por un grupo norteño, durante el intermedio de las funciones en el Antonio Caso. A regañadientes de Lizalde, que no confiaba en él, De Molina compuso tres canciones para *Compañero: Marcha de las madres latinas, Nocturno* y *Se acabó.* Luego las grabó en un disco de 45 revoluciones y apalabró a un par de amigos para vender al público los discos durante el intermedio de cada función.

Además de dirigir la obra, José Solé se hizo cargo de la escenografía. Era simple: un pizarrón y unos cuantos cubos de madera para sugerir el salón de clases de una escuela rural, a la derecha del espectador, y una rampa de escasa pendiente ocupando todo el foro. Como telón de fondo, con trazos que reproducían el enmarañado tejido de las alambradas de púas, Solé proyectó el enorme dibujo de una corona de espinas. No lo consultó conmigo, pero su personal lectura de la obra lo llevó a traducir con ese dibujo —en realidad el único decorado de la escenografía— su interpretación de *Compañero*. A mí me gustó la idea, pero apenas el pintor Felipe Pons reprodujo la corona de Solé en el ciclorama, Lizalde puso el grito en el cielo:

—Eso no puede ser, Pepe. Es intolerable que se enmarque una obra sobre el Che Guevara con un símbolo religioso. Intolerable, Pepe.

—No es una corona de espinas, Enrique.

—Claro que es una corona de espinas.

—Muy estilizada.

—Qué estilizada ni qué nada, Pepe. Una corona de espinas clarísima. —Lizalde llamó a los miembros de Teatro Documental: —¿Qué ves ahí, Aarón?

—Una corona de espinas.

—¿Qué ves, Sergio?

—Una corona de espinas.

—¿Qué ves, Carlos?

Carlos Fernández se enmarcó la quijada con el índice y el pulgar, a la manera de Amado Nervo:

—Desde este ángulo, tomando en cuenta el contraste entre los grises y los negros y la curva que parecen ir dando las alambradas de púas, se tiene la impresión de que el dibujo, al menos en un primer impacto, el impacto que recibirá el espectador, representa... sí, puede ser; representa una corona de espinas.

—Intolerable, Pepe, intolerable.

No hubo tiempo de cambiar el dibujo ni José Solé lo hubiera permitido. Aceptó sin embargo hacer algunos retoques para disimular los rasgos del simbólico elemento de tortura. Retoques insuficientes porque días más tarde, cuando los críticos aludieron a la escenografía, todos registraron sobre el telón de fondo el dibujo de una corona de espinas.

—Te lo dije, Pepe.

Mientras preparábamos la función de estreno se empezó a

escribir sobre *Compañero* en las páginas de espectáculos de los diarios: noticias, declaraciones de los actores, breves crónicas de los ensayos. Miguel Ángel Granados Chapa, a quien conocí en esa ocasión, me entrevistó largamente en el café Palermo y publicó una nota muy alentadora en *Últimas noticias* de *Excélsior*. La obra provocaba expectación. Se predecía que causaría un revuelo semejante al de *Pueblo rechazado*. Tan seguros estábamos del éxito que no sólo invitamos al estreno a la gente del mundillo teatral sino a políticos e intelectuales. Fue mucho mayor el número de invitados que el de butacas, y la noche del trece de marzo, a la hora de cambiar invitaciones por boletos, se armó el tumulto en la taquilla.

En lugar de apenarse por el desorden, los actores parecían felices en sus camerinos, a pocos instantes de comenzar la función:

—Hay broncas en la taquilla. Cachetadas por entrar. Qué éxito.

A David Alfaro Siqueiros le perdieron sus boletos. Méndez Arceo encontró ocupada su butaca. Huberto Batis me mandó llamar, desesperado, para que lo ayudara a entrar con un par de acompañantes.

—Qué relajo.

—Qué éxito.

Vi a Meche Pascual y a Víctor Flores Olea molestísimos por el desorden y tuve miedo de que Estela, a dos semanas de dar a luz a la menor de nuestras hijas, fuera a resultar lastimada por el tumulto de invitados abriéndose camino a codazos por las puertas y los pasillos del teatro.

Permanecí entre bastidores toda la función, y entre bastidores escuché el aplauso final.

David Alfaro Siqueiros y Angélica Arenal aplaudían y gritaban bravo, de pie. Ofelia Guilmáin abandonó el foro y me abrazó:

—Oye qué aplauso, Vicente. El público está enloquecido, ¡óyelo!

—Exitazo.

Se equivocaba Ofelia y nos equivocábamos todos. Antes de terminar el obligado coctel del estreno, me llegaron por terceras personas comentarios contrarios a aquella impresión inicial: Iván Illich se salió antes de terminar el segundo acto. Eduardo Lizalde dice que la puesta es aceptable pero que la obra falla políticamente. A Tito Monterroso le molestó muchísimo la forma en que se alude a Guatemala en tiempos de Jacobo Arbenz. Froylán López Narváez piensa que la obra no funciona porque es demasiado obvia.

La obviedad fue el más común de los reparos señalados después por los críticos. Miguel Guardia escribió en *El día:*

> *Compañero* es un reportaje superficial y plano que no añade nada a lo que todos hemos leído; obvio y tan ingenuo que la acción está "vendida" desde el principio.

Solamente Luis Reyes de la Maza creyó encontrar, esta vez, virtudes en mi obra. De sus truenos contra *Los albañiles* saltó al panegírico:

> No me detengo al afirmar que *Compañero* llegará a ser con el tiempo, cuando las pasiones se hayan calmado y se observe la historia de nuestros días con imparcialidad, una de las obras teatrales más importantes que se hayan escrito en Latinoamérica.

Ni el tiempo ni el resto de la crítica le dio la razón. Porque llovieron más palos.

A Wilberto Cantón, director de la revista *La vida literaria* de la Asociación Mexicana de Escritores, se le ocurrió dedicar un número íntegro al análisis de *Compañero* y solicitó una docena de colaboraciones especiales. No lo hubiera hecho. Salvo un texto comedido de Fernando Wagner, el resto de los artículos hizo polvo mi pieza.

Un día me encontré a Francisco Liguori:

—Fui a ver *Compañero* —me dijo.

Escamado como estaba traté de detenerlo, pero él se me adelantó:

—Tengo un desacuerdo con usted que me gustaría discutir.

—Ni me diga, licenciado, ya me imagino: la obra le parece obvia, políticamente fallida. Todos me lo dicen.

—No no no no no. De eso no quiero discutir. Mi diferencia es de orden ortográfico. Se refiere al uso del acento diacrítico.

Resulta que en una de las primeras escenas de *Compañero*, Comandante 1 observa en el pizarrón del aula en la que ha sido confinado una frase escrita con letra infantil: "Ya sé leer". Dice a la Maestra:

> COMANDANTE 1: ¿Qué tal tus alumnos, adelantan? Al menos éste ya sabe leer. . . Ah, pero aquí sobra un acento. *(Borra el acento del "sé".)*
>
> MAESTRA: Está bien así.
>
> COMANDANTE 1: No está bien. Es un monosílabo.
>
> MAESTRA: Pero es del verbo saber. Para distinguirlo del verbo ser.
>
> COMANDANTE 1: ¿Estás segura?
>
> MAESTRA: Eso dice la gramática.
>
> COMANDANTE 1: Tu gramática también necesita su revolución.

A esa escena se refería Francisco Liguori. Me la recordó casi textualmente. Me dijo:

—Estoy en desacuerdo con usted. Su Comandante 1, es decir, el Che Guevara, está equivocado. En esa posición, la partícula *sé* debe acentuarse con acento diacrítico.

—¿Pero quién le dice a usted que yo avalo la opinión de mi personaje, licenciado?

—¿Avala entonces la opinión de la Maestra?

—Tal vez.

—Pues también la Maestra está equivocada. El *sé* de "ya sé leer" debe acentuarse, pero no por las razones que ella dice.

—¿Entonces por qué?

Francisco Liguori me guiñó un ojo, y con una sonrisa dejó caer su prominente papada:

—Se lo dejo como un problemilla ortográfico, para que lo piense.

—No, licenciado, explíqueme la regla. Usted dijo que quería discutir.

—Piénselo, piénselo —volvió a sonreír Francisco Liguori.

Tardé muchos años en descubrir el acertijo gramatical de Liguori. Me lo resolvió Óscar Walker, maestro de literatura de la Universidad Autónoma de Puebla y experto en el uso y abuso del acento diacrítico. Tanto el *sé* del verbo *saber* en la frase *ya sé leer* —me explicó Óscar Walker—, como el *sé* de *ser* en frases como *sé buen hombre* deben llevar acento diacrítico —se produce en la frase una diacrisis— porque tienen una mayor categoría gramatical que el *se* reflexivo de frases como *Juan se peina*, que el *se* impersonal de *se dice*, *se piensa*, y que el *se* de la forma pasiva en *se vende*, *se compra*.

Ni Comandante 1, ni la Maestra ni yo lo sabíamos. Liguori tenía razón: los tres estábamos equivocados.

Después de la explicación de Walker corrí a ver al epigramista:

—Ahora ya sé la razón, licenciado. Ya *sé*, ya *sé*, ya *sé*.

El desencanto de la crítica ante *Compañero* se reflejó en la taquilla. Aunque el promedio de doscientos cincuenta espectadores por función no era del todo despreciable —nos permitía sufragar los gastos y recuperar la inversión—, para un grupo que pensaba en sacudir la opinión pública con un exitazo resultaba desolador el espectáculo de una sala semivacía; sobre todo entre semana cuando sólo se ocupaban cien o ciento veinte de las ochocientas ochenta butacas del teatro Hidalgo.

Empezaron entonces los pretextos:

—La gente no viene por el desmadre de las obras del metro.

—Lo que pasa es que el público está despolitizado.

—Lo que pasa es que a la clase media le asusta una obra tan revolucionaria.

—Lo que pasa es que no hemos hecho suficiente publicidad.

—Lo que pasa es que nos está llevando la chingada —dijo Sergio Bustamante—. Déjense de cuentos.

Empezaron también los descontentos:

Javier Anaya, Héctor Ávila, Eduardo Ocaña y otros actores que salían de guerrilleros se quejaban de que Enrique Lizalde, antes de cada función, los obligaba a formar cola frente a su camerino para distribuirles su dotación exacta de postas.

—¿Tú cuántos disparos haces?

—Seis.

—Ten tus seis postas y dos de reserva. El que sigue.

—Once disparos.

—Once postas y tres de reserva.

Los actores enfurecían a sus espaldas:

—Que nos entregue una caja y se acabó. Ni que fuéramos a armar una balacera o a revender postas. Cuánto puede valer una pinche caja. Si se desperdician no va a quebrar la compañía, eso seguro.

A Héctor Gómez lo sacaba de quicio la solemnidad de Lizalde, y Ofelia y Sergio Bustamante cruzaban apuestas:

—¿Cuánto a que hago reír a Enrique a media función?

En escena, de espaldas al público, Ofelia le guiñaba un ojo, gesticulaba. Pero a Lizalde no se le contraía un músculo. Luego la regañaba entre bastidores:

—Deja de estar jugando en escena, Ofelia, ¡cuándo vas a entender!

También los actores guerrilleros se divertían a costillas de Carlos Riquelme:

—A que se equivoca tres veces en su parlamento.

—A que tartamudea. A que se traba.

—A que dice propietario en lugar de proletario.

Irrumpía Lizalde y acababa con las apuestas, los juegos, las lamentaciones por la falta de público.

—¡A escena! —gritaba como un verdadero comandante. Pero también él estaba nervioso y malhumorado, y se ponía a criticar las canciones de José de Molina o a buscar las razones del fracaso.

Alguien le insinuó que la escena final de *Compañero* era definitivamente reaccionaria. En mi texto, cuando el Capitán boliviano que ha recibido órdenes de matar a Comandante 2, se acobarda, no se atreve a hacerlo, Comandante 1 llega de improviso, arranca el arma al Capitán y es él quien dispara contra Comandante 2. Dado el desdoblamiento, el asesinato adquiere la forma de un suicidio simbólico: el hombre de acción asesina al hombre de ideales, el político al humanista.

Así escribí la obra y así se presentó en las primeras funciones hasta que alguien insinuó a Lizalde que mi solución era reaccionaria porque exculpaba a los militares bolivianos del asesinato del Che. Para rectificar "el error político", Enrique decidió alterar el final de la pieza sin consultármelo siquiera. Comandante 1 continuaría asesinando a Comandante 2, pero en lugar de mantener inmóvil y acobardado al Capitán boliviano, Enrique ordenó a Antonio González, que hacía de Capitán, disparar también su metralleta, entre las sombras, contra Comandante 2.

Descubrí el cambio casualmente, cuando una noche entré en la sala al término de una función. Me irritó sobremanera porque no obstante que el Capitán disparaba entre las sombras y lo hacía simultáneamente al "suicidio" de los Comandantes, su intervención matizaba el efecto. Si el desenlace original parecía reaccionario —me dije— el único responsable era yo, no Lizalde ni el grupo, qué carambas. Nadie tenía derecho a alterarlo sin mi consentimiento.

Por desgracia no supe mantener mi enojo frente a Enrique. Sus razones me atolondraron y terminé doblando las manos como un cobarde.

Del enojo pasé al asombro. Joaquín Hernández Armas, embajador de Cuba en México, invitó a los miembros de Teatro Documental a cenar en su casa para agasajarnos por la puesta en escena de *Compañero*. A la reunión asistieron también algunos funcionarios de la embajada.

Al principio se habló de todo, menos de la obra, pero llegados al postre y apenas Hernández Armas hizo mención del magnífico trabajo de Lizalde, de Bustamante, de Ofelia, los cubanos abrieron fuego contra *Compañero*:

—Esos dos comandantes de la obra nada tienen que ver con el Che —tronó una joven que alardeaba de intelectual. Habría que haberlo conocido en persona, dijo, para darse cuenta que la dicotomía entre el político y el humanista no se dio jamás.

—Pero qué tú crees. Eso es una aberración. El Che fue siempre de una sola pieza. Yo lo conocí, lo conocí muy bien. En cada momento de su vida el Che supo lo que tenía que hacer y lo hizo con una entrega absoluta a sus ideales. Las cosas que tú le haces decir no las pudo decir nunca. Son una difamación.

—Y también se difama la revolución —intervino un joven moreno pelado a la Boston—. Cómo se puede hablar de la revolución cubana y presentar a Fidel como personaje secundario. Se ve qué no entiendes lo que es Cuba ni lo que fue la lucha de guerrillas en Bolivia. Ése no es el Che. Tan no lo es

76

que yo nada más te digo una cosa; una cosa nada más te digo para que lo sepas: tu obra no se podría presentar en Cuba jamás. Tal vez en México se vea como una obra revolucionaria, pero allá la gente está muy politizada y sabe distinguir lo que sí y lo que no. Allá no se pondría nunca, chico. Jamás.

Me molestó que aquellos cubanos funcionarios me tacharan de ignorante y reaccionario, pero gracias a sus críticas descubrí que mi pieza no era tan obvia ni tan panfletaria como señalaba casi todo mundo. Al menos era capaz de provocar el enojo de los empleados de la embajada. Ya era algo.

Días después de la cena en casa de Hernández Armas, y en vista de que el público continuaba negándose a acudir al teatro Hidalgo, Enrique Lizalde decidió dar cerrojazo a la temporada. El domingo cinco de abril fue la última función, cuando *Compañero* llevaba apenas veintisiete representaciones. Nunca más se repuso la obra y no hubo después grupo alguno, ni siquiera de aficionados, que se interesara en montarla. Terminó sepultada en un número de la revista *Diálogos*, donde se publicó íntegra, y en una antología de la editorial Aguilar.

El fracaso de *Compañero* puso en peligro de muerte a Teatro Documental. Ni Sergio Bustamante ni Héctor Gómez ni Carlos Fernández quisieron saber de nuevos proyectos. Quedamos en el grupo Enrique Lizalde, Carlos Bracho, Aarón Hernán y yo, pero en siete meses no volvimos a reunirnos hasta que a fines de 1970 Carlos Bracho, acompañado de Eduardo Rodríguez Solís, planteó a Enrique la posibilidad de tomar en arrendamiento la unidad artística del teatro Coyoacán.

La unidad se hallaba muy descuidada, informó Rodríguez Solís. Su último inquilino, Jorge Godoy —varias veces acusado de actividades subversivas contra el gobierno— había tenido problemas con don Crispiniano Arce, el dueño, y ahora don Crispiniano Arce quería rentar el edificio a un grupo solvente y serio capaz de hacer uso de las instalaciones con absoluta formalidad.

La ocasión parecía magnífica para revitalizar al grupo con los que quedábamos —más la adición de Rodríguez Solís quien era el contacto con el dueño— y darle incluso una mayor proyección con el aprovechamiento de los numerosos salones de la unidad donde se podrían impartir cursos de arte dramático, organizar conferencias, montar exposiciones de arte; crear en una palabra un centro: el Centro de Teatro Documental.

A quienes sólo conocíamos el pequeño pero hermoso teatro de cámara nos sorprendió la profusión de cuartos, patios, corredores, escaleras, pasadizos... Estela y yo fuimos con nuestras hijas un par de domingos, y las hijas se lanzaron a corretear por aquellos laberintos imaginando que exploraban el castillo de un cuento. Por desgracia todo se hallaba en un estado deplorable, como nos lo había anunciado Rodríguez Solís. La construcción parecía en ruinas y el mal olor de la humedad, la basura, la mugre infestaban hasta el último rincón. Por un contrato de nueve mil pesos mensuales de renta Crispiniano Arce nos entregaba así la unidad, tal cual. A nuestro cargo deberían correr todos los gastos de limpieza, restauración y reacondicionamiento de la sala teatral: era necesario un nuevo equipo de luz y sonido, una revisión cuidadosa de las instalaciones eléctricas —estallaban cortoscircuitos por dondequiera—, el arreglo del telón, la compostura de la butaquería. Con todo, los nueve mil pesos de renta eran una ganga.

Calculamos un presupuesto mínimo para las tareas más urgentes y llegamos a la conclusión de que cada uno de los cinco miembros del grupo debería hacer una aportación inicial de veinte mil pesos. Con eso echaríamos a andar el teatro e invertiríamos las utilidades para ir completando poco a poco la restauración de la unidad.

A fines de 1970, veinte mil pesos eran para Estela y para mí un mundo de dinero. Con veinte mil pesos se podía comprar un auto, viajar a Europa, dar el enganche para la adquisición de una casa. Nuestra economía familiar estaba muy lejos de disponer de esa suma, pero como el proyecto me parecía teatralmente apasionante y quizá, con el tiempo, un magnífico negocio, Estela estuvo de acuerdo en castigar nuestro presupuesto y solicitar un préstamo bancario. Con el préstamo en la bolsa, reducido obligatoriamente por el primer abono, fui con Enrique, le entregué los dieciocho mil pesos y prometí completar los dos mil restantes en el menor tiempo posible.

Para entonces ya habían estallado las primeras diferencias

78

entre Eduardo Rodríguez Solís y Enrique Lizalde. Rodríguez Solís se quejaba de que Lizalde no tomaba en cuenta sus opiniones y eso le parecía, a él que había establecido el contacto inicial con Crispiniano Arce, una majadería intolerable. Nadie hizo caso de sus quejas y Rodríguez Solís renunció al grupo antes de que firmáramos el contrato de arrendamiento.

Pensé que la salida de un socio obligaría a acrecentar las aportaciones iniciales, pero Aarón Hernán me tranquilizó. Su gran amigo Francisco Villarreal, millonario mueblero de Ciudad Juárez, estaba dispuesto a apoyarnos financieramente para que el proyecto del Centro Documental empezara a funcionar. Firmamos entonces el contrato de arrendamiento —Aarón y yo como inquilinos, Lizalde y Bracho como fiadores— y emprendimos las obras más urgentes de limpieza y restauración. Enrique contribuyó con su aportación inicial en especie instalando en el teatro un equipo de luz y de sonido y sufragando los gastos de la revisión eléctrica. Todo parecía marchar muy bien, pero ahora fue Carlos Bracho quien estalló:

—Con Enrique no se puede, no se puede. Es un autoritario insoportable.

Bracho propuso inaugurar el centro con el montaje de una pastorela decembrina y Enrique dijo no. Bracho propuso una exposición de pintores jóvenes, amigos de Bracho, y Enrique dijo que él conseguiría dibujos de Siqueiros. Bracho propuso un par de obras para abrir el teatro y Enrique dijo que él ya tenía seleccionada la obra inicial: *Los Rosenberg no deben morir*, de Alain Decaux.

—Con Enrique no se puede, no se puede. Es un dictador.

—Soy director de Teatro Documental.

—Eres un dictador.

Discutieron a gritos, casi a manotazos, en casa de Aarón Hernán, Aarón y yo tratábamos de fungir como réferis, pero a ellos no los paraba nadie.

—Me largo —gritó Carlos Bracho.

—Lárgate —gritó Enrique.

Y Carlos Bracho se fue.

Entendí entonces que mi participación en Teatro Documental me resultaría a la larga muy difícil. Yo no tenía carácter para oponerme a Enrique, pero tampoco para someterme incondicionalmente a sus dictados. Apreciaba sobre todo nuestra amistad. No quería ponerla en peligro. Preferí renunciar, evadirme.

Hablé tranquilamente con Lizalde. Desde mi punto de vista el proyecto iba de mal en peor, dije. Por qué no dar por finiquitado el grupo y atender la proposición que nos hacía Sergio Corona de tomar en traspaso el contrato de arrendamiento y pagarnos las inversiones que habíamos hecho hasta entonces. Él se haría cargo del teatro para dedicarlo a espectáculos de cabaret sin duda redituables: mesas y sillas en lugar de butacas, cenas, bebidas, ambiente de centro nocturno. Ciertamente la proposición de Sergio Corona no era aún muy firme, pero también Juan Ibáñez parecía interesado en un proyecto similar.

La sola mención de ceder a otros el teatro irritaba a Enrique, por supuesto:

—¿Dejar que Sergio Corona o Juan Ibáñez hagan de esto un cabaret?, ¿después de lo que nos hemos partido el alma por Teatro Documental?

—Recuperaríamos nuestra inversión, Enrique.

—Nunca.

Entendí su negativa y él entendió que yo también trataba de zafarme del proyecto. Aceptó mis razones, y ya que me retiraba antes de que el Centro Documental empezara a funcionar, prometió reintegrarme mis dieciocho mil pesos tan pronto se echara a andar el teatro.

Desde luego nunca vi ese dinero. A Enrique sí, algunos días después. Gastón Melo y yo lo auxiliamos en una revisión cuidadosa de la traducción del francés que José María Fernández Unsaín había hecho de *Los Rosenberg no deben morir*. Era una buena pieza, pero no tanto como la juzgaba Enrique. Desde luego obedecía las reglas del teatro documental, aunque no parecía responder a las posibles inquietudes del público mexicano. La pieza se estrenó en marzo de 1971, actuada y dirigida por Lizalde, y su breve puesta pasó sin pena ni gloria. Después de la noche del estreno no volví al Coyoacán y dejé de ver a Enrique durante años. Teatro Documental había muerto definitivamente.

80

LA CARPA (1971)

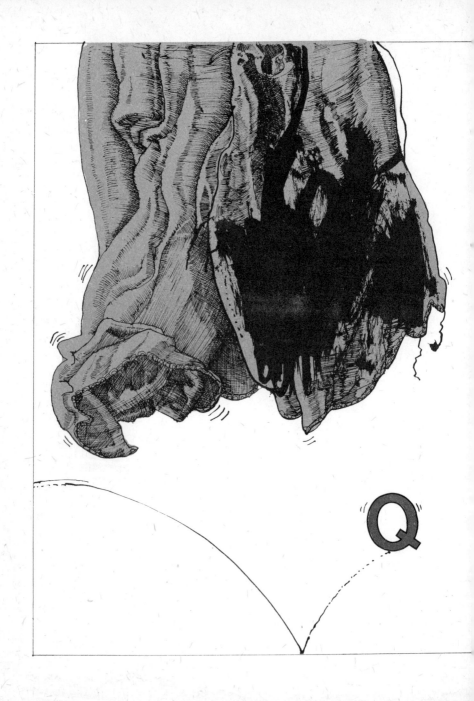

Apenas se produjo el cerrojazo de *Compañero* en la temporada del teatro Hidalgo empecé a escribir mi cuarta pieza. No era una historia original. A falta de temas nuevos que mi imaginación se negaba a dictarme, decidí adaptar mi novela *Estudio Q* emprendiendo de nuevo el camino recorrido en *Los albañiles*: buscando equivalencias escénicas a los recursos formales de la narrativa.

Como la anécdota de la novela era mínima, la versión teatral de *Estudio Q* exigía introducir un número mayor de modificaciones que el empleado en *Los albañiles*. Lo importante era conservar el conflicto de identidad en torno al personaje-actor Alex, condenado a vivir prisionero dentro de una absurda telenovela autobiográfica. Ése era el dato básico. El resto consistía en resolver una vez más para la escena, desde mi óptica, el viejo recurso del teatro dentro del teatro enriquecido con dos variables: la televisión dentro del teatro, y la vida dentro de la televisión y dentro del teatro.

Escribí tres versiones, una tras otra, y al releer la última quedé gratamente satisfecho. —Me quedó redonda —dije a Estela—. De veras.

Fui a llevar la obra a Ignacio Retes. No lo había visto desde que empezamos a ensayar *Compañero*. Su separación de Teatro Documental lo alejó de Enrique Lizalde y del grupo, y sólo a la distancia se enteró de nuestro fracaso con la obra sobre el Che. Yo sabía que asistió a una función, pocos días después del estreno, pero ni entonces me hizo llegar sus opiniones ni ahora me comentó una palabra de mi pieza o del montaje.

—Le traigo esto —le dije, entregándole mi original—. A ver qué le parece.

Hablamos poco porque Retes andaba ocupadísimo ensayando con López Tarso y para López Tarso una pieza de Peter Luke, *Adriano VII*, que el primer actor se trajo de Europa creyendo importar una maravilla.

—Déjemela. Hoy mismo la leo y después le hablo.

Eran los primeros días de junio de 1970. Transcurrió todo el mes, se estrenó *Adriano VII* en el Hidalgo, pero Retes no me llamaba. Seguramente no le gustó y no se anima a decírmelo —pensé—. Las otras veces él ha sido el primero en telefonearme.

Fui al teatro Hidalgo y soporté toda la función viendo a López Tarso disfrazado de Santo Padre. Al terminar el último acto busqué a Retes.

—¿Leyó mi obra?

—Dos veces —respondió. Iba a agregar algo pero se detuvo por la llegada de Eugenio Cobo quien trabajaba en la producción de *Adriano VII* y quería tratar con el director asuntos urgentes: que si la publicidad, que si la cartelera, que si Wally Barrón y Carlos Cámara se quejan de los créditos. . .

Se despidió Eugenio Cobo.

—¿Qué le pareció, maestro Retes?

—La obra no ha ido como Nacho esperaba —dijo Retes—. El estreno estuvo bien, han aparecido buenas críticas, pero las entradas siguen medio flojas. No que estén mal, no, hoy tuvimos medio teatro y en la primera del domingo casi agotamos. Lo que pasa es que tratándose de Nacho uno siempre espera que el teatro se llene. La papeleta es muy cara.

Siguió hablando un rato largo de *Adriano VII* hasta que lo frené de golpe:

—No me ha dicho qué le pareció mi obra.

—Su obra. . . —Levantó hacia mí la mirada pero tenía sucios los anteojos. Se los quitó y se puso a limpiar con un pañuelo, parsimoniosamente, lente por lente; primero el derecho, luego el izquierdo. Parpadeaba entre tanto. —¿El título es definitivo?

No me decidí a llamar *Estudio Q* a la versión teatral de mi novela y de momento le puse un título horrible: *Lugar común*. Pero era lo de menos, ya habría tiempo de buscar uno mejor.

—¿Qué le pareció mi obra? —insistí.

—La leí dos veces. —Volvió a acomodarse los anteojos. Ahora sí me podía ver con claridad.

—¿Qué le pareció?

—Magnífica, Vicente. Magnífica, magnífica. Su mejor obra.

—Y Retes sonrió.

Esperamos a que concluyera la temporada de *Adriano VII* en

84

el Hidalgo para permitir que Retes, libre ya de todo compromiso, se dedicara íntegramente a las gestiones iniciales del montaje. Lo primero era conseguir un productor.

—Ya lo tenemos —dije a Retes—. Carlos Calzada.

El ingeniero Carlos Calzada era un teatrófilo amigo de López Tarso que año y medio atrás, impresionado por los llenos que hacía en el Xola *Los albañiles*, me dijo una noche, en un bar, al calor de los tragos:

—Promete que me darás la próxima obra que escribas para que yo la produzca. Estoy dispuesto a invertir el dinero que haga falta... ¿Cuánto necesita Retes para un montaje? ¿Cien mil pesos?

—Cuando mucho.

—Pues ahora mismo, si quieres, te hago un cheque por cien mil pesos.

—Primero necesito escribir la obra.

—De una vez, para que te animes.

—Espérame, yo te aviso.

—Pero me avisas, eh, me avisas —decía Calzada—. Yo quiero ser tu productor.

Le hablé a Retes de aquel viejo ofrecimiento. Lo recordaba perfectamente porque el propio Calzada, ya sobrio, lo ratificó ante él unos días más tarde. No era seguro que volviera a ratificarlo un año y medio después pero nada perdíamos con averiguarlo.

En un edificio de la avenida Morelos tenía Carlos Calzada sus oficinas. Era el dueño de una exitosa empresa de sistemas de calefacción y aire acondicionado. Nos recibió amabilísimo como si la noche anterior los tres nos hubiéramos ido de juerga.

Retes fue directo al asunto:

—Venimos a ofrecerte la producción de la última obra de Vicente —dijo. En seguida se extendió en elogios a mi pieza, le entregó una copia engargolada y le habló de que planeábamos conseguir un teatro de la Unidad Cultural del Bosque o del Seguro Social.

Calzada no quiso oír más detalles ni necesitaba leer la obra para aceptar de inmediato convertirse en el productor.

—Por supuesto —dijo—. ¿Cuánto dinero necesitan?

—Todo depende del teatro que consigamos —respondió Retes—. Calculo que la producción andará por los cincuenta mil pesos, tal vez un poco más.

—Perfecto. Cuenten conmigo... Ustedes láncense desde ahora y cuando necesiten el dinero me mandan decir. No hay problema. Yo produzco la obra.

Salimos impresionados por la prontitud y la generosidad con que Carlos Calzada ratificó por segunda vez su viejo ofrecimiento.

—Es un tipazo —dije a Retes—. Sensacional.

Para conseguir el teatro Orientación o El Granero de la Unidad Cultural del Bosque, Retes propuso que en lugar de someternos al criterio de funcionarios menores y realizar desde abajo los engorrosos trámites para la obtención de una sala tratáramos por una vez —como hacen los influyentes— de apelar a las autoridades mayores de la Secretaría de Educación Pública, de la que dependía la Unidad del Bosque. Con esa idea, sin previa cita, nos plantamos en la antesala de Mauricio Magdaleno, subsecretario de Educación encargado de asuntos culturales.

Magdaleno nos recibió de inmediato. No nos conocía personalmente pero sabía de Ignacio Retes y estaba enterado de mis novelas. Yo también de las suyas, y nos soltamos hablando de letras antes de formularle nuestra petición. Le parecía justa y muy sencilla de resolver, dijo, al tiempo que llamaba a uno de sus funcionarios, el licenciado Alejandro Gertz Manero, y lo ponía a cargo de nuestro asunto con la encomienda de dejarnos completamente satisfechos.

Gertz Manero nos pidió una semana de plazo para averiguar los compromisos de las salas de la Unidad Cultural del Bosque y ofrecernos una respuesta. Cuando volvimos a verlo, el funcionario ya había leído mi obra, le había entusiasmado, dijo, pero se había encontrado con que todos los teatros de la Unidad estaban comprometidos de antemano. Ni él, ni Mauricio Magdaleno, ni el propio Agustín Yáñez, secretario de la SEP, podían ordenar que nos cedieran una sala.

Retes se rascó la nuca. Yo chasqueé los labios.

Pese a todo —siguió hablando Gertz Manero— él creía haber

86

encontrado una solución después de leer la obra. Le entusiasmaba —repitió— y estaba decidido a dejarnos completamente satisfechos no sólo por la orden de Mauricio Magdaleno sino por su propio interés, por su genuina pasión teatral.

La solución de Gertz Manero consistía en levantar una gran carpa a un costado del Auditorio Nacional y presentar ahí la obra. Eso exigiría una puesta en escena muy singular, para la que según él se prestaba mi pieza, y marcaría además un camino a seguir por las instituciones de cultura y los productores privados que podrían resolver, con instalaciones de ese género, la escasez de teatros en la ciudad.

A Retes y a mí nos convenció instantáneamente la solución de Gertz Manero. Sí, la obra se prestaba para ser presentada en una carpa. Es más —dijo Retes—, la obra se podría llamar así: *La carpa*.

—*La carpa* en una carpa, se oye bien.

Gertz Manero quedó en llamarnos tan pronto consiguiera una carpa y la autorización para instalarla a un costado del Auditorio Nacional. Puro trámite, aseguró. Fuimos a buscarlo un par de semanas después y bastó con ver su gesto de agüitado para adivinar que el proyecto no había recibido la necesaria autorización.

—Lo siento —dijo—. Créanme de veras que lo siento tanto como ustedes.

—Al menos ya tenemos título para la obra —dijo Retes.

De la Unidad Cultural del Bosque saltamos al Seguro Social. Imposible conseguir el Xola: estaba comprometido con Lorenzo de Rodas para *Un sombrero de lluvia*, y luego con Margaret Mitchell para *Todo en el jardín*, de Edward Albee. Imposible también el Hidalgo. Después de horribles pleitos entre Dolores del Río y José Quintero, Dolores iba por fin a salir de quinceañera en *La dama de las camelias* dirigida ahora por José Solé. Para 1971, el Hidalgo estaba cedido a Servando González que debutaría como director en . . . *Y la mujer hizo al hombre*, de Alejandro Galindo.

—Sólo puedo ofrecerles el Reforma —dijo Ricardo García Sainz a Ignacio Retes—. ¿Tienen productor?

—El ingeniero Carlos Calzada.

El Reforma me parecía un teatro horrendo. Tenía un foro muy angosto y una pésima visibilidad para la audiencia. Entre fila y fila de butacas la separación y el desnivel eran mínimos. Eso creaba en el espectador una incómoda sensación de apiñamiento y lo obligaba a medio ver lo que ocurría en el foro cabeceando a derecha e izquierda entre las siluetas de los espectadores de enfrente. Quizá por tal incomodidad la mayoría de las obras estrenadas en el Reforma fracasaban sin remedio. El teatro, además, pese a su espléndida ubicación en pleno Paseo de la Reforma, carecía de marquesina, y solamente el público muy teatrófilo sabía que en ese sitio se levantaba un teatro.

Desde luego lo aceptamos.

Retes me infundía ánimos, como siempre. Él resolvería la incomodidad de los lugares del frente y lo angosto del foro suprimiendo el telón, quitando las primeras cuatro filas de butacas y prolongando el proscenio tres o cuatro metros hacia la audiencia. Luego colocaría las filas suprimidas sobre el telón de fondo, mirando hacia el foro, para crear una especie de teatro círculo.

—Tengo muchas ideas para el montaje de *La carpa*. Ya verá.

Volvió a funcionar la vieja fórmula de empezar apuntando a Richard Burton y a Elizabeth Taylor para integrar el reparto. La obra tenía tres protagonistas: Álex, Silvia y el Director. Para Álex se necesitaba un actor con aire de galán de telenovelas: Guillermo Murray. Lucy Gallardo podía ser Silvia, y José Gálvez o Narciso Busquets el Director. Igual que en *Los albañiles*, José Gálvez pidió un dineral como si fuera Manolo Fábregas quien lo llamara a trabajar en una comedia musical. Narciso Busquets dijo simplemente que no, y Guillermo Murray condicionó su aceptación a la aceptación de Lucy Gallardo.

Lucy parecía bien dispuesta: de tiempo atrás buscaba borrar la imagen de actriz de comedia adquirida después de largas temporadas interpretando con su esposo Enrique Rambal obras de Alfonso Paso en el teatro Del Músico; necesitaba volver al drama, a trabajar en obras así como *La carpa*. Le gustaba muchísimo *La carpa* pero tenía algunos reparos pequeñísimos que sin duda se podrían resolver. Para eso quería hablar conmigo.

A casa de Retes y Lucila, en la avenida Insurgentes, llegó Lucy Gallardo. Elegante, guapísima, vestida como debería vestir la Silvia de mi obra. Sentada en el sillón más cómodo del departamento se acomodó el turbante que ocultaba su cabello, encendió un cigarrillo y cruzó la pierna para exhibir el finísimo fuste de su extremidad derecha. Después de quince años de trabajar en México poco quedaba ya de su acento argentino:

—Como le dije hoy en la mañana al maestro Retes la obra me fascina. Es una obra muy dramática, importante, sensacional. Lo único que yo encuentro es un pequeño desequilibrio entre el papel de Silvia y el papel de Álex. De pronto se tiene la impresión de que toda la importancia recae sobre el personaje masculino y eso desbalancea la relación de la pareja que me parece el tema clave. Entiéndanme, no lo digo por mí. No vayan a pensar, por favor, que yo quiero lucirme todo el tiempo en el escenario. Lo digo por la obra. Es la obra la que se perjudica, sea quien sea la actriz que interprete a Silvia.

—No hay otra actriz que pueda hacerlo tan bien como tú —intervino la esposa de Retes—. El papel te va como anillo al dedo, lo que sea de cada quién. Desde que yo leí la obra se lo dije a Retes, de veras: Lucy Gallardo; para Silvia no hay más que Lucy Gallardo: tan elegante, tan guapa, tan distinguida.

—Pero nadie me va a ver. Salgo poquísimo.

—No —dijo Retes—. Tu papel no tiene tantos parlamentos como el de Álex, pero en la forma en que yo pienso dirigir la obra vas a estar todo el tiempo en el foro. La presencia silenciosa de Silvia es un factor dramático muy importante.

—El número de parlamentos no me importa, insisto. Lo que hace falta es un par de escenas más para Silvia que hagan crecer al personaje, que no se quede tan deslavado. Por el bien de la obra. Lo digo nada más por el bien de la obra. —Me miró—: ¿Sería muy difícil?

—¿Agregarle parlamentos a Silvia?

—Únicamente un par de escenas.

—Difícil, tal vez no —dije—. Lo que pasa es que yo no estoy de acuerdo con sus opiniones. La obra es así, y así está bien, a mi juicio.

Lucy Gallardo enderezó el cuello y parpadeó como una gallina dispuesta a picotear. Degolló el cigarrillo en un cenicero repleto:

—Entonces yo no puedo aceptar el papel.

—No lo decidas todavía —dijo Lucila—. Piénsalo.

—Sí, piénsalo —dijo Retes.

Como Lucy Gallardo no aceptó trabajar en *La carpa*, tampoco aceptó Guillermo Murray. Retes se vio obligado a barajar otros nombres y al fin integró un reparto que habría de resultar, artísticamente, inmejorable. Enrique Rocha como Álex, Adriana Roel como Silvia y Eric del Castillo como el Director. Para las coactuaciones: Judy Ponte, Eugenio Cobo, Willebaldo López y July Furlong.

A la hora de realizar el montaje, Retes echó la casa por la ventana confiando en el dinero de Carlos Calzada, nuestro productor. Sobre el foro ampliado, la escenógrafa Félida Medina levantó una torre, tendió un pasillo aéreo y mandó construir una cabina de plástico transparente que parecía una cápsula espacial: todo para dar el ambiente de un estudio de televisión estilizado. Se colocaron además dos pantallas de cine: una para los espectadores de la sala y otra para los que ocuparían las cuatro hileras de butacas emplazadas dentro del foro. En ellas se proyectarían pequeñas escenas de la obra previamente filmadas por Gabriel, el hijo de Retes, quien ya empezaba entonces a hacer películas en super ocho. Las escenas filmadas y proyectadas durante la representación permitían completar o acentuar lo que ocurría en el foro durante el momento mismo de su ejecución. Así por ejemplo, mientras Álex seducía a María Luisa en la parte media del segundo acto, las pantallas-monitores proyectaban sincronizadamente close-ups y grandes close-ups de las caricias de Álex. Recursos como éste me recordaban los que estaban poniendo en boga directores de la línea de Julio Castillo, pero Retes se cuidaba de ceñirlos al texto de la obra sin caer en los excesos a que llegó Castillo en *Los asesinos ciegos*.

Una noche fui al teatro Reforma para ver un ensayo y me encontré a Retes revisando papeles, recibos, que acababa de entregarle Eugenio Cobo encargado no sólo de su papel como Feder sino de llevar los gastos de producción de *La carpa*. Todo eran cuentas pendientes de pago. Hasta ese momento los materiales y el trabajo de la escenografía, el montaje en su conjunto, se había conseguido a crédito. Se debía hasta el último clavo y los acreedores, los obreros, los tramoyistas, comenzaban a protestar.

—¿Y el ingeniero Calzada?

—Llevo diez días buscándolo, no aparece. Anda fuera de México.

Presentí lo peor.

—En su oficina dicen que regresa el próximo martes.

Pero ese próximo martes en la oficina de Carlos Calzada informaron a Retes que el ingeniero estaba en Europa y regresaría a fines de abril, es decir, un mes después de la fecha en que se proyectaba estrenar *La carpa*.

—Nos tomó el pelo. Carlos Calzada nos tomó el pelo miserablemente. Nunca tuvo intenciones de producir la obra y nosotros, imbéciles, no nos dimos cuenta.

Era muy tarde para los lamentos y las inculpaciones. Los acreedores presionaban y el montaje estaba prácticamente concluido. Imposible renunciar al proyecto, de cualquier modo las deudas deberían saldarse. Necesitábamos urgentemente conseguir un productor de última hora.

—Yo le entro —dijo de pronto Eugenio Cobo.

—Le entras como qué.

—Como productor. Yo asumo los gastos.

Eugenio Cobo había estado ahorrando durante años para construirse una casa en Coyoacán. Tenía dinero en el banco y nadie sabía tan bien como él, puesto que llevaba escrupulosamente la contabilidad del montaje, lo que se necesitaba: cincuenta mil pesos para cubrir la inversión hecha hasta el momento, más lo que hiciera falta de entonces al estreno. Luego, durante la temporada, los gastos de la papeleta.

—Es mucho dinero, Eugenio.

—Yo le entro.

—La obra puede fallar.

—No va a fallar. Le tengo mucha fe.

Emocionado y agradecido, comenté el gran gesto de Eugenio Cobo con Enrique Rocha.

—No exageres —me respondió el actor—. Cobo va a hacer el negocio de su vida con tu obra, va a ganar dinerales. Yo también le entraría de productor, con los ojos cerrados, si tuviera dinero en el banco.

Resuelto el problema del productor gracias a Eugenio Cobo, faltaba por resolver la escena final de la obra que yo necesitaba modificar a causa de la eliminación del telón decretada por Retes durante los arreglos del foro.

En mi texto original, el personaje Director decide "suicidar" a Silvia para culminar la telenovela que han estado representando. Al mismo tiempo, el actor Álex toma conciencia de que la única forma de triunfar sobre las órdenes despóticas del Director es escapando de ese mundo, saltando literalmente del espacio escénico. Piensa en hacerlo junto con Silvia. Se inclina ante su cuerpo teatralmente exánime e intenta convencerla de que se levante, de que se rebele contra ese final trágico de la estúpida telenovela. Mientras Álex habla al cadáver de Silvia, el Director ordena que caiga el telón a sabiendas de que una vez cerrado sus personajes quedarán prisioneros para siempre dentro del foro. Como Silvia no da señales de vida y el telón empieza a caer, Álex decide escapar solo. Silvia reacciona en el último momento, corre a alcanzar a Álex y ambos saltan hacia el público segundos antes de que el telón los degüelle. Se cierra el telón. El mundo del Director queda atrás. Álex y Silvia se han salvado.

Tardé en encontrar una solución equivalente, que expresara lo mismo, prescindiendo del telón. Durante los ensayos, Enrique Rocha, Adriana Roel y Eric del Castillo me hacían un sinfín de sugerencias. Lo mismo me recomendaban hacer triunfar al Director, dejar a Silvia muerta en el escenario y suicidar a Álex, que terminar la obra con un motín durante el cual los técnicos y los tramoyistas linchaban al Director.

Opté por la solución que me pareció más sencilla y más acorde con mi idea original, aunque nada tenía que ver, por cierto, con el ambiguo final de *Estudio Q:*

Álex y Silvia saltan del foro, hacia el público, ante la mirada estupefacta del Director. Huyendo como Adán y Eva del paraíso corren por los pasillos de la sala y al llegar a la puerta de

92

salida Álex se vuelve e increpa al Director con un par de frases sobre el valor de la libertad. Abandonado en el escenario, el Director se queda gritando inútilmente: Imbéciles, imbéciles, imbéciles. Ocurre entonces el oscuro final.

Con esta variante resolví la obra y así se representó durante la temporada en el Reforma. Olvidé sin embargo consignarla cuando publiqué *La carpa* en la antología del *Teatro mexicano 1971* de la editorial Aguilar.

Nada espectacular ocurrió en el estreno. Llegué a pensar incluso que el público invitado se había mostrado indiferente, pero comenzaron a aparecer las críticas y la unanimidad en los elogios me sobresaltó.

María Luisa Mendoza escribió en *El día*:

> *La carpa*, aquí, en Nueva York, en París, en la ciudad que usted quiera, es una inmensa gran obra cuyo contenido, cuya idea genial puede percibirla desde el estudioso de los problemas del hombre, hasta la actricilla de televisión que no mira más allá de la curva intrincada de sus pestañas.

José Antonio Alcaraz en *El heraldo*:

> Asistimos al desarrollo y ebullición de un universo planteado y regido por la fuerza magnífica de un gran dramaturgo que se permite el lujo de crearlo totalmente, de un extremo al otro, y alimentar su existencia en un gesto continuo de dominio absoluto.

Félix Cortés Camarillo en *La cultura en México* de *Siempre*:

> Una obra magistral.

Rafael Solana en *Siempre*:

> El terreno que en ella se pisa, como la orilla del mar, "no es agua ni arena"; se pasa de la realidad al ensueño, de la ficción a la certidumbre, de la fantasía a la tosca realidad, todo mezclado con magia, para crear un mundo alucinante con asombrosa maestría. Tan lejos como Leñero llega, han llegado pocos. Creemos que esta vez estamos frente a una pieza de categoría

internacional, que rebasa con mucho el ámbito del teatro mexicano.

Y Luis Reyes de la Maza en *Novedades*:

> La habilidad de Ibsen, de Joyce, de Proust y de Pirandello. El símbolo, el presente, el recuerdo, el sueño, la angustia, el futuro, la inseguridad, todo está dentro del ámbito mágico y real a la vez que nos presenta el escritor con su impecable construcción dramática. El teatro mexicano se vivifica, se da cuenta que no ha muerto, cuando surge, aunque sea cada cuarto de siglo, un profesional como Vicente Leñero.

Transcurrían las dos primeras semanas de representaciones y aún no terminaba de paladear las críticas cuando Enrique Rocha anunció que se retiraba de la obra. Le dolía muchísimo hacerlo, dijo, pero se había comprometido de antemano con Sergio Olhovich para protagonizar *Muñeca reina*, una película inspirada en un cuento de Carlos Fuentes. Cuando aceptó trabajar en *La carpa* lo hizo pensando en que la filmación de *Muñeca reina* se retrasaría un par de meses, y ahora que Sergio Olhovich lo llamaba no tenía más remedio que cumplir. Todavía Rocha intentó alternar ambos trabajos —presentarse en las mañanas en las locaciones cinematográficas y correr al teatro en las noches—, sin embargo Sergio Olhovich no se lo permitió: necesitaba concentrarse, viajar: algunas locaciones se harían fuera de México.

La noticia de la separación de Enrique Rocha nos cayó como un cubetazo de agua fría. No era fácil encontrar un primer actor capaz de memorizar el papel de Álex en una semana y estar dispuesto a entrar como sustituto en una obra ya estrenada. Se necesitaría además hacer nuevas filmaciones para las escenas de las pantallas-monitores. Mientras yo insultaba a Rocha llamándolo traidor, informal, interesado, engreído, pinche, Retes se puso a buscar un actor para el Álex. No encontró uno solo entre los galanes de cierta fama, y contra mi parecer terminó designando a su hijo Gabriel.

Gabriel Retes había hecho un buen trabajo de actuación en el Federico Zamora de *Los albañiles*, pero su tipo físico, y sobre

94

todo su edad, contradecían por completo al personaje que yo había conformado. Al lado de Adriana Roel se veía como un adolescente caprichudo, lo que volvía inverosímil, absurdo, el matrimonio de Álex y Silvia. Adriana soportó unas cuantas funciones a Gabriel Retes. Dio sus siete días, se fue. En su lugar entró Silvia Mariscal, cuya juventud ayudaba al menos a hacer verosímil el matrimonio de los protagonistas, aunque no a reflejar los problemas conyugales e individuales que la obra aplicaba a gente adulta, no a jovenzuelos.

En contraste con las críticas periodísticas tan elogiosas a *La carpa*, las entradas en el teatro fueron mal, desde el principio. El promedio de espectadores por función era apenas de cien, ciento diez personas, lo que representaba poco más de la cuarta parte del cupo y no permitía, en consecuencia, cubrir los gastos diarios. Eso acabó por hacer tronar a Eugenio Cobo. Se mantuvo como productor pensando cada fin de semana que a la semana siguiente la obra agarraría un nuevo aire y ascenderían las entradas, hasta que agotó el dinero que había ahorrado para la construcción de su casa, renunció a su casa y nos dijo, abatido:

—Hasta aquí llego como productor. No tengo un centavo más.

Para salvar la obra del cerrojazo inminente, Eric del Castillo propuso entonces formar una cooperativa entre los principales. participantes. Renunciaríamos a nuestros sueldos, y una vez descontados los gastos diarios nos repartiríamos en partes iguales la poca utilidad que dejaran las entradas. Todos aceptamos. Así, de los mil quinientos o mil novecientos pesos semanales que me correspondían por mis derechos de autor —nueve por ciento de las entradas en taquilla—, yo empecé a recibir por la cooperativa cuatrocientos, novecientos pesos a la semana: poco más o poco menos de la tercera parte de mis regalías. En la misma proporción, los actores y Retes.

Pero Eric del Castillo, optimista siempre, confiaba aún en que la obra terminaría yéndose para arriba tarde o temprano, y en lugar de significar un sacrificio, la cooperativa resultaría un buen negocio para todos. Necesitábamos desde luego lanzarnos a la acción: publicitar la obra en cuantos medios nos fuera posible, vender funciones especiales, organizar teatro-forums, activar nuestro ingenio para atraer dinero y espectadores. Auxiliado por los agentes de publicidad de la revista *Claudia* yo traté de que algunas empresas aceptaran incluir spots comerciales en las pantallas-monitores durante la representación de la obra. Además de producirnos dinero, el recurso acentuaría el ambiente televisivo de la puesta en escena. Ninguna empresa aceptó. Tampoco logramos vender funciones especiales, y la celebración de los teatro-forums, como siempre, no produjo un aumento significativo de público.

Judy Ponte llegó al camerino de Eric del Castillo, que era el centro de reunión de la cooperativa:

—Es increíble que una obra tan buena tenga entradas tan malas —dijo Judy.

—Es la apatía ancestral con que se mira al teatro mexicano —pontificó Willebaldo López.

—Es que necesitamos hacer más publicidad; más, más —ordenó Eric del Castillo.

—No —dijo Judy—. Aquí pasa algo muy extraño. No es casual que casi todas las obras fracasen en este teatro, sean buenas o sean malas. Seguramente el teatro está bajo el influjo de algún maleficio. Necesita una limpia.

—¿Una qué?

—Una limpia.

Judy Ponte conocía una bruja de toda su confianza, a la que propuso traer para que exorcizara al Reforma de los espíritus maléficos que lo infestaban.

Yo no asistí a la ceremonia pero Eugenio Cobo y Eric del Castillo me contaron. Una tarde a las cinco, tres horas y media antes de la función, se presentó la bruja amiga de Judy Ponte. Después de husmear por la sala, los pasillos, los corredores, el foro, los camerinos, diagnosticó que efectivamente los malos espíritus se habían apoderado del local. Extrañas vibraciones se percibían en los camerinos sin duda porque allí se habían escenificado escenas horribles entre los actores: intrigas, rencillas, traiciones, actos de adulterio, episodios de perversión, quizás algún crimen. La maldad humana flotaba como una nube invisible desde los camerinos hasta el último rincón de la sala, el foyer, la taquilla, y eso ahuyentaba lógicamente al público.

Hecho el diagnóstico, la bruja procedió a los exorcismos. Mientras pronunciaba en voz alta y en voz baja alocuciones cabalísticas llenó de humaredas el foro con incienso de copal. Luego sacudió y barrió paredes, pasillos, butacas, con hojas de plantas extrañísimas, que también frotó sobre cada uno de los actores, de la cabeza a los pies, mientras ella ponía los ojos en blanco y continuaba pronunciando sus ininteligibles oraciones.

La ceremonia duró más de una hora y media. Cuando la bruja amiga de Judy Ponte salió del trance, recogió sus implementos y se despidió del grupo.

—Desde esta noche empezará a venir el público en cantidad —anunció—. Nunca más fracasará este teatro.

Aunque los actores se quedaron muy esperanzados, ni esa noche ni las siguientes aumentó la entrada. Por el contrario, de los ochocientos a los novecientos pesos que yo obtenía a la semana en el reparto cooperativo, recibí sólo trescientos al cumplirse siete días de la visita de la bruja.

—Ahora sí terminamos. No tiene remedio.

Ricardo García Sainz accedió una noche bajar de su oficina de la subdirección administrativa del IMSS —en el edificio adjunto al teatro— y presenciar una función. Salió encantado. Buscó a Retes:

—Una obra estupenda. Un trabajo magnífico.

—Pues sí, licenciado, pero el público no viene. Hemos hecho hasta lo imposible. Vamos a tener que cerrar.

—¿Y las cien representaciones?

—Queríamos llegar a las cien pero ya no alcanzamos a cubrir ni los gastos mínimos.

García Sainz se conmovió. De inmediato dio órdenes para que el Seguro Social se hiciera cargo de todos los gastos de la obra hasta que *La carpa* llegara a sus cien representaciones. Sólo así, a empujones, arrastrándonos, logramos colgar nuestra placa conmemorativa en el foyer del teatro Reforma, con la satisfacción absurda de quien alcanza una meta, consigue un trofeo.

Nunca más se repuso *La carpa*. En 1975, sin embargo, Maximiliano Vega Tato, director de la empresa estatal Conacine, se interesó en producir una versión cinematográfica de *Estudio Q* y *La carpa* porque pensó que el tema común de mis obras serviría para enderezar una denuncia contra la televisión comercial. Animado por la compra de la historia y el encargo del guión —cien mil pesos en total, que me caían de perlas— emprendí rápidamente el trabajo de la adaptación apoyándome casi por completo en la obra de teatro pero aprovechando el final de la novela: el ambiguo suicidio de Álex. No resultó un buen guión: menos cuando Vega Tato me forzó a añadir un par de secuencias para hacer más explícita la supuesta denuncia contra la televisión comercial que en realidad era un tema secundario de mi obra. Ni Vega Tato ni yo quedamos satisfechos, y el director de Conacine terminó guardando el libreto en un cajón de su escritorio.

Dos años después, Rafael Baledón llegó a ocupar el escritorio que había dejado vacío Vega Tato y abrió el cajón. Pensando que tenía en las manos una posible película se puso a leer el libreto.

—No entendí nada —me confesó después—. Es una historia muy confusa, extrañísima.

—Si no quieres no la filmes —le dije.

—Claro que no la voy a filmar. —Y Rafael Baledón volvió a guardar mi libreto en el cajón del escritorio.

Transcurrieron dos años más. Ahora fue Francisco del Villar quien llegó a ocupar el escritorio principal de Conacine y abrió el cajón. Me telefoneó al día siguiente:

—Me encontré un guión tuyo en la oficina. Ya lo leí.

—Es una adaptación de *Estudio Q* y *La carpa*.

—Sí, pero es un guión malísimo. Perdóname, pero no se entiende nada. La historia no tiene pies ni cabeza, es absurda.

—¿Pensabas filmarlo?

—Imposible. Sólo llamé para preguntarte qué te dio por escribir esa tontería.

Finalmente, en 1979, Benito Alazraki fue nombrado director de Conacine por la directora de Radio, Televisión y Cinematografía, Margarita López Portillo. Se vivía entonces, al decir de los expertos, la peor crisis en la historia del cine mexicano. Ante el desplome de la industria y la inactividad de los estudios, para responder a las presiones de los trabajadores de la producción, a las acerbas críticas de la gente del medio, Margarita decretó un plan de emergencia y ordenó a Alazraki preparar de inmediato la filmación de tres películas. Como no había tiempo de solicitar la elaboración de guiones originales, Alazraki se puso a revisar los libreros de su oficina, a revolver papeles, a explorar el escritorio recién heredado. Abrió el cajón y encontró tres guiones: uno de Emilio Carballido, otro de Ricardo Garibay y el mío, al fondo. Los nombres de los tres autores le sonaron conocidos. También les sonaron conocidos a los miembros del consejo consultivo de Margarita, y al vapor se aprobaron los tres proyectos. Alazraki me llamó:

—Tengo aquí un guión suyo de hace algunos años que pensamos filmar para Conacine. Lo acabo de leer.

—¿Le gustó?

—Me gustó pero no le entendí, la verdad. Aunque eso no es problema. Como decía Picasso, lo importante de las obras de arte, como de los ostiones, es que nos gusten, no que las entendamos.

—¿Le pareció una obra de arte mi guión?

—Debe ser. Claro que tratándose de una película habría que hacerle algunas modificaciones para volver más claro el argumento, más accesible. El público se va a quedar de a seis. Es una historia muy confusa. Le di a leer el guión a mi secretaria, a don Miguel Morayta, a gente que conoce bastante de cine, y todos me dicen que no saben bien a bien de qué trata el argumento. Eso es terrible.

—Ninguna modificación, señor Alazraki, la historia es así. No la filme si no quiere, de veras.

—No no, claro que la voy a filmar.

Alazraki aceptó pagarme ciento cincuenta mil pesos por el guión —los derechos ya estaban vencidos— y propuso la película a varios directores. Dos de ellos la rechazaron porque el guión les pareció pésimo, hasta que Alazraki llamó a Marcela Fernández Violante. Marcela había leído *Estudio Q* y se entusiasmó con el proyecto. Ella misma, supervisada por mí, se encargó de eliminar las secuencias que me había forzado a añadir Vega Tato; incluyó en el principio de la película la escena inicial de *Estudio Q*, peinó los diálogos cuya verborrea derivaba del traslado directo de *La carpa*, y me propuso terminar la historia con el asesinato del Director en lugar del ambiguo suicidio de Álex.

Tal como la planeaba Marcela, la película exigía por lo menos seis semanas de filmación. Le dieron veinte días, y en veinte días, soslayando presiones de Alazraki para volver más accesible el argumento, soportando la imposición de dos o tres actores en el reparto, venciendo la apatía de la propia empresa, logró sacar adelante su trabajo.

Marcela luchó además por llamar a la película *Estudio Q*, en lugar de *Otra telenovela* —como insistía en bautizarla Benito Alazraki—, y al cabo de muchas discusiones se acordó denominarla *Misterio*.

Me sorprendí cuando supe que *Misterio* había sido seleccionada para representar a México en la Muestra Internacional de Cine de 1980, pero más me sorprendí cuando la Academia de Ciencias y Artes Cinematográficas la nominó para once arieles. Le dieron ocho. Ariel para la mejor actriz a Helena Rojo, ariel para el mejor actor a Juan Ferrara, ariel para la mejor coactuación femenina a Beatriz Sheridan, ariel para la mejor coactuación masculina a Víctor Junco, ariel para la mejor escenografía a Javier Rodríguez, ariel para la mejor fotografía a Daniel López, ariel para la mejor edición a Jorge Bustos. A mí me dieron dos: por el mejor guión cinematográfico y por el mejor argumento escrito originalmente para cine, lo que demostraba que los jueces de la Academia desconocían por completo la existencia de *Estudio Q* y de *La carpa*. Sólo Marcela Fernández, extrañamente, se quedó sin ariel. Me acerqué a ella al término de la ceremonia de premiación en los estudios Churubusco. Miré sus ojos. No tenían lágrimas pero sí reflejaban una enorme desilusión.

—Así es esto —me dijo—. Así es esto.

EL JUICIO (1971)

Una noche acomodaba libros en desorden heredados de la biblioteca de mi padre. Del acordeón que formé entre ambas manos uno de ellos cayó al suelo y en seguida todos los demás. Solté una maldición y cuando me incliné a recogerlos me llamó la atención el pequeño volumen. Era una edición corriente, de aspecto clandestino, malimpresa en papel revolución. En su pasta de cartoncillo azul se veía un dibujo de José de León Toral arriba del título y de un par de leyendas:

EL JURADO DE LEON TORAL Y LA MADRE CONCHITA
Lo que se dijo y no se dijo en el sensacional juicio
Versión taquigráfica textual

La obra, de la que aquel volumen era el primero de dos tomos, había sido "debidamente registrada en Washington", según consignaban los editores Alducin y De Llano, A en P, México, D.F.

Entendí que la firma editorial aludía al periódico *Excélsior* de finales de los años veintes, y luego supe que gran parte de las versiones taquigráficas fueron publicadas en el diario cuando se efectuaron en la delegación de San Ángel las audiencias para juzgar a José de León Toral y a la Madre Conchita por el asesinato del general Álvaro Obregón.

Desde mi adolescencia me atrajo la figura de León Toral, descrita con vehemencia por mi padre cuando nos relataba las circunstancias del magnicidio. Luego, en mis tiempos de Acción Católica, lo tuve por un mártir admirable que había sabido llevar sus convicciones hasta las últimas consecuencias. Me sorprendía que los dirigentes acejotaemeros no lo reconocieran así. Dirigentes y sacerdotes de Acción Católica elogiaban la lucha cristera, activaban nuestro celo combativo contra un gobierno laico haciéndonos leer las obras de Anacleto González Flores, pero rehuían el tema de León Toral. Cuando se les forzaba a expresar una opinión terminaban condenando al magnicida, lo que me parecía una incongruencia porque la mentalidad de la Acción Católica de los años cincuenta provenía por vía directa de la que impulsó a León Toral a disparar contra Obregón.

Precisamente mis actividades acejotaemeras me hicieron conocer a Luis Billot. Era un solterón de cincuenta y tantos años que habitaba una casona de la colonia Santa María y manejaba un grupo teatral de aficionados que daba funciones de caridad a los enfermos del hospital de Tepexpan, a los huérfanos de los hospicios, a los ancianos de algún asilo. Aunque nunca participé como actor, me incorporé efímeramente al grupo como traspunte. Semana a semana se ensayaban las comedias pero se conversaba más. Un día se tocó el tema de León Toral y Luis Billot se entusiasmó. No sólo admiraba al magnicida, no sólo tenía un álbum de fotografías de él: Billot había sido amigo íntimo de León Toral, el único amigo al que León Toral quiso ver minutos antes de su fusilamiento. Con Pepe y con Manuel Trejo, Luis Billot se inició en el teatro. También a León Toral le gustaba el teatro —decía Billot—, pero lo descuidó por el futbol y por sus actividades en la Liga de la Defensa Religiosa.

Las pláticas con el solterón incrementaron mi interés y mis informaciones sobre el asesino del general Obregón. El interés se fue adormilando al paso de los años y resurgió de pronto cuando encontré aquel libro de pastas azules heredado de la biblioteca de mi padre. En esa sola noche leí las doscientas cincuenta y tres páginas del volumen. Me pareció fascinante. Gracias a la versión taquigráfica se sentía presenciar en vivo las incidencias de un juicio histórico que delataba y ponía frente a frente dos fanatismos: el fanatismo religioso de los acusados y el fanatismo político de los acusadores. El documento, además, era una obra de teatro en bruto. Bastaba con sintetizar los interrogatorios y agregar acotaciones mínimas para convertirlo en una pieza dramática documental. Desde luego hacía falta el segundo tomo, y para conseguirlo recurrí a Leopoldo Duarte, el librero mejor informado de México en cuestión de libros viejos.

Polo me advirtió lo difícil que era encontrar ejemplares de *El jurado de León Toral y la Madre Conchita*, pero prometió hacer todo lo posible y buscar al mismo tiempo otros libros singulares sobre el asesinato de Obregón y el conflicto religioso de los años veinte. Me consiguió por supuesto el tomo segundo de la versión taquigráfica y una media docena de títulos prácticamente desaparecidos del mercado. Entre ellos: *Obregón, Toral y la madre Conchita*, de Hernán Robleto; *El conflicto religioso de 1926*, de Aquiles P. Moctezuma, y el libro del reportero Miguel Gil, *La tumba del Pacífico*, que coleccionaba sus reportajes sobre las Islas Marías aparecidos en *La prensa* en 1932 y entre los que se incluía una extensa entrevista con la Madre Conchita durante su reclusión en el penal.

La lectura del segundo tomo de la versión taquigráfica me reafirmó la idea de escribir una obra de teatro sobre el caso. El trabajo de síntesis iba a resultar sin duda fatigoso, porque necesitaba reducir a no más de cien cuartillas un total de seiscientas páginas y pico, pero era una simple tarea de costura. Ni siquiera era forzoso leer otros libros; sólo sintetizar, sintetizar, cuidando en todo momento de mantener un punto de vista rígidamente objetivo.

Mientras yo iniciaba la tarea, Polo Duarte continuó buscándome libros fuera de serie. Una mañana me citó en su librería de la avenida Hidalgo. Me tenía una sospresa: un ejemplar de las memorias de la Madre Conchita editadas en Madrid, fuera de comercio, bajo el título *Una mártir de México*.

—¿Cómo lo conseguiste?

—El libro te lo manda ella.

—¿La Madre Conchita?

Excarcelada desde 1940, la Madre Conchita vivía en la ciudad con Carlos Castro Balda, un activista radical de los tiempos del conflicto religioso, con quien contrajo matrimonio en las Islas Marías tan pronto colgó los hábitos.

Polo me explicó que un cliente de su librería resultó ser pariente de la exmonja y gracias a él pudo conseguirme la mayor parte de los libros. Además, cuando la Madre Conchita se enteró de que un tipo apellidado como el hospital de la Cruz Verde estaba escribiendo una obra sobre el juicio, decidió enviarle un ejemplar de sus memorias junto con un recado en el que se ponía a su disposición "para lo que hiciera falta".

Desde luego me era muy atractiva la invitación para ir a

conversar con ella y con Castro Balda; sin embargo preferí desistir por miedo a que los viejos me chantajearan con sus opiniones o a que surgiera algún problema si no estaban de acuerdo con mis puntos de vista o con el tratamiento que planeaba.

—Prefiero conocer a la Madre Conchita después de que la obra se estrene —dije a Polo Duarte.

—A lo mejor no se estrena nunca —me replicó el librero—. Acuérdate de Ibargüengoitia.

No tenía datos precisos pero sí recordaba vagamente que en los años sesentas la censura de espectáculos prohibió a Juan José Gurrola llevar a escena *El atentado*, una obra de Jorge Ibargüengoitia que trataba el tema del asesinato de Álvaro Obregón en tono de farsa. Yo leí *El atentado* en 1964, en una edición especial de la *Revista Mexicana de Literatura*, e incluso unos años antes conocí a Ibargüengoitia hablando precisamente de León Toral. Me lo presentó en el café La Habana José Audiffred. Ibargüengoitia era entonces una joven revelación de la dramaturgia por *Susana y los jóvenes* y *Adulterio exquisito*, y eso parecía darle derecho a pisotear mi fervor acejotaemero mofándose de León Toral y la Madre Conchita y diciendo que sólo en una farsa se podía escribir de esos locos. Me escandalizó Ibargüengoitia en ese primer encuentro. Pasado el tiempo, superados mis prejuicios, lo comprendí.

—Los obregonistas prohibieron *El atentado* —me recordó Polo Duarte.

—¿Existen todavía los obregonistas?

—Claro que existen. La obra sigue prohibida.

Seis años de prohibición: de 1964 a 1970.

El primer aviso fue de Polo Duarte. El segundo, de Ignacio Retes. Andábamos en los ensayos de *La carpa* cuando hablé a Retes de mi plan. Le pareció interesante, pero me advirtió que tendríamos problemas con la censura cuando tratáramos de montar la obra.

—¿Y qué hacemos?

—Ahora no piense en eso —me respondió Retes—. Primero póngase a escribir.

No lo hice de inmediato. Aunque estrictamente me bastaba

para mi pieza con los dos tomos de la versión taquigráfica, quise empaparme del tema leyendo los libros que Polo Duarte me había conseguido y los que yo encontré por mi cuenta, revisando en la hemeroteca los periódicos de aquellos años, yendo a recorrer las calles de la colonia Santa María donde habían vivido y confabulado la mayor parte de los protagonistas: la casa de León Toral en Sabino, convertida ahora en una taller mecánico, el templo del Espíritu Santo...

Me obligué a suspender de golpe mis divagaciones porque me di cuenta de que podía perder meses y meses en la pura especulación, en la búsqueda inútil de informaciones laterales. Renuncié a leer un libro más y me puse a trabajar sobre los dos tomos de la versión taquigráfica del juicio exclusivamente.

Un primer tratamiento me dio el equivalente de cuatro horas y media en escena. El segundo, tres horas. Demasiado aún.

Aarón Hernán y su amigo millonario de Ciudad Juárez, Francisco Villarreal, me buscaron en la revista *Claudia*. Era el tiempo en que los tres andábamos metidos en el negocio del Centro Documental de Coyoacán y pensé que iban a tratarme algún problema surgido con Enrique Lizalde. No. Aquél era otro asunto. Querían hablar conmigo de esa obra sobre León Toral. Retes acababa de ponerlos en antecedentes, incluso había ofrecido a Aarón el papel del magnicida, y Villarreal a su vez, entusiasmado, se ofreció como productor.

—Villarreal viene a comprarte la obra —dijo Aarón—, para garantizar el trato.

—No hace falta. Basta con que Retes esté de acuerdo.

—A mí no me gustan los tratos de palabra —dijo Villarreal—; soy hombre de negocios. ¿Cuánto quieres por tu obra?

—Yo cobro derechos de autor. El diez por ciento de la taquilla, cuando esté funcionando.

—Pide un anticipo, no seas pendejo —gritó Aarón.

Villarreal se impacientaba. Abrió su portafolio:

—Dime una cantidad.

—Espérense a que la termine.

—¿Te parece bien veinte mil pesos?

—Es lo más que llegaré a sacar si tiene éxito.

—¿No te importa que te los dé en dólares?

Villarreal extrajo del portafolio un mazo de billetes de veinte dólares. Los puso sobre el escritorio.

—Sólo necesito un recibo.

Ajusté el tercer tratamiento de *El juicio* a una duración aproximada de dos horas y se lo entregué a Retes.

Ya teníamos productor. Teníamos además la posibilidad de un teatro, el Veintinueve de Diciembre, que el empresario Jorge Landeta acababa de ofrecer a Retes. Igual que Villarreal, en combinación con él —tanto mejor—, Jorge Landeta quería producir *El juicio* en uno de los muchos teatros citadinos que manejaba. Hasta entonces sólo ponía en ellos vodeviles corrientes con Emilio Brillas, Francisco Muller, Polo Ortín, Mary Montiel, pero ya le había llegado el momento —aseguraba— de asumir su compromiso moral con el teatro mexicano y presentar obras serias como *El juicio*. El interés de Landeta parecía genuino: nos invitaba a cenar en El muralto, nos ofrecía vacacionar en su casa de Cuautla, nos ponderaba las ventajas del Veintinueve de Diciembre. Aunque en un principio nosotros nos resistíamos pensando en lo peligroso que era presentar *El juicio* en una sala vodevilesca, tal fue la insistencia de Landeta que decidimos correr el riesgo y aceptar. En el momento mismo en que íbamos a hacerlo fue el propio empresario el que sorpresivamente echó marcha atrás su proyecto: se sacó un pretexto de la manga y nos dejó con la aceptación en la punta de la lengua.

Me pareció extraño el comportamiento de Landeta.

—Tal vez lo previnieron —dijo Retes.

—¿Quién?

—La Oficina de Espectáculos.

Era muy temprano para pensar en la censura: aún no se cumplían dos semanas de que habíamos presentado la obra en la Oficina de Espectáculos para su aprobación.

—El caso es que no la han aprobado todavía.

Las sospechas de Retes se diluyeron cuando fuimos a la Unidad Cultural del Bosque y conseguimos, esta vez sin dificultad alguna, el teatro Orientación.

Encabezaban el reparto Aarón Hernán como José de León Toral y Silvia Caos como la Madre Conchita, y lo completaban:

Salvador Sánchez, Jorge Mateos, José Ramón Enríquez, Eugenio Cobo, César Castro, Willebaldo López, Antonio González... Eran catorce actores en total.

Empezaban los ensayos cuando una noche Aarón Hernán me hizo llegar, hasta el asiento desde el que escuchaba la lectura a coro de mi pieza, una tarjeta de visita en la que se leía, impreso, el nombre de Manuel Trejo.

Sobre la tarjeta Aarón había manuscrito una frase interrogativa: *¿No necesitas una pistola?*

Desde que analicé cuidadosamente las declaraciones de José de León Toral durante las audiencias, la presencia de Manuel Trejo en los prolegómenos del atentado era el único dato que me hacía sospechar de la sinceridad del magnicida. León Toral dijo y repitió siempre que había actuado solo, y casi todos sus datos lo corroboraron. Así como la mayoría de los historiadores terminó aceptando su versión, yo hubiera estado dispuesto a creer que efectivamente actuó solo y a nadie anticipó sus intenciones si no fuera por la intromisión en el relato de Manuel Trejo, el amigo que le prestó el arma homicida.

La narración cronológica del propio León Toral da qué pensar.

El magnicida cuenta que el jueves doce de julio de 1928, cinco días antes del atentado, fue a buscar a su amigo Manuel Trejo a casa de la señora Altamira donde vivía escondido de la justicia luego de haber hecho estallar una bomba, en compañía de Carlos Castro Balda, en los sanitarios de la Cámara de Diputados.

León Toral llega ante Manuel Trejo y le pide una pistola. Trejo le pregunta: ¿para qué la quieres?, y León Toral le responde: para tirar al blanco. Son las diez de la mañana. Según León Toral, Trejo se da por satisfecho con la respuesta y no le pregunta más. En seguida saca de un buró una pistola y se la ofrece, pero León Toral no quiere llevársela en ese momento "para no andarla cargando". Regresa por ella en la noche y a la mañana siguiente, viernes trece de julio, va al cerro del Chiquihuite para probar puntería. Dice León Toral, textualmente:

Disparé diez tiros y no pude dar ninguno al blanco. Volví con Trejo en la noche y le devolví su pistola y le conté que no había podido dar en el blanco. Nada más. Es decir, buscando que él me hiciera algunas indicaciones de cómo se debería hacer; en fin, el hecho de haberme prestado la pistola y no haberme dirigido a otro individuo que me hiciera la pregunta de para qué la quería, y todo eso. Él se extrañó, pero me dijo: A ver, otro día apuntas con más cuidado; en fin, cosas sin importancia. El sábado siguiente iba a volver, como era domingo, a tirar al blanco;* que iba a ir a una excursión con un amigo y que si no tenía inconveniente en prestármela, que era únicamente para el domingo, porque él la tenía por lo que pudiera ocurrirle; estaba escondido y necesitaba tener un arma con qué defenderse. Por eso se la pedía un día y se la devolvería con objeto de que no quedara desarmado. Me la prestó, y el domingo, por las declaraciones que sabrán todos, anduve en la manifestación, buscando la oportunidad de dar muerte al señor Obregón.

Hasta la mañana del domingo quince de julio, León Toral reconoce haber tenido cuatro entrevistas con Trejo. El domingo en la noche, después de fracasar en su intento de disparar contra Obregón cuando éste llega a México, León Toral regresa a su casa. Relata, en su declaración:

Antes llegué a la casa de la señora Altamira. A Trejo no le devolví su pistola porque no había podido usarla en lo del tiro al blanco, y quería ver si me la prestaba al día siguiente; él accedió y entonces me fui a mi casa.

El lunes en la mañana, sin embargo, León Toral va otra vez a la casa de la señora Altamira:

Llegué a la casa de la señora Altamira y le manifesté lo mismo, que iba a una hacienda y que le avisara a Trejo que no se preocupara de la pistola. (No vi a Trejo entonces.) Pues ya la pistola se la había pedido por un día por lo menos.

* La frase, tomada taquigráficamente, parece mal construida por León Toral. Lo que seguramente quiere decir es: Al sábado siguiente fui con Manuel Trejo y le dije que el domingo iba a volver a tirar al blanco, etcétera.

110

León Toral no vuelve a ver a Trejo. El martes diecisiete da muerte a Obregón.

En mis relecturas de la versión taquigráfica del juicio —en vistas a la elaboración de la pieza— me llamó la atención el hecho de que León Toral hubiese tenido cinco entrevistas consecutivas con Manuel Trejo en vísperas del magnicidio. Dada la vieja relación de amistad entre ambos, que se remontaba a sus tiempos de inquietudes teatrales con Luis Billot, no me parecía lógico que en ninguna de aquellas cinco entrevistas Trejo hubiese intentado averiguar para qué diablos quería realmente su amigo una pistola. Según León Toral, Trejo se conformó con la absurda explicación: "para tirar al blanco". No sólo eso. Necesitando el arma como la necesitaba en su calidad de prófugo, Trejo aceptó desprenderse de ella simplemente para que su amigo se divirtiera practicando el tiro.

Absurdo, pensé. Imposible. León Toral mintió en ese punto para encubrir a su amigo. Trejo supo necesariamente que Pepe le pedía una pistola para algo muy gordo: para matar a Obregón. Y si Trejo lo supo con anticipación, lo supieron probablemente otras personas. A la luz de esta lógica, el argumento de la exclusiva responsabilidad de León Toral en el magnicidio quedaba tambaleante.

Me extrañó averiguar también que en las audiencias del jurado popular ningún acusador se interesó en ahondar en esta "evidencia". Todos quedaron satisfechos con el relato de León Toral sobre sus cinco parcas entrevistas con Manuel Trejo, y como Trejo no compareció en el juicio —andaba prófugo y luego huyó a Estados Unidos— su probable complicidad en el magnicidio quedó borrada con el tiempo.

Desde luego ésta no era un asunto para ser dilucidado en mi obra de teatro —yo me limité a la transcripción del juicio—, pero en mi ánimo de historiador aficionado se me clavó, como una espina, la certeza de que Manuel Trejo era una clave importante para descubrir toda la verdad en el asesinato de Obregón.

Por eso me asombró aquella noche, durante el ensayo, recibir de Aarón Hernán una tarjeta de visita con su chiste manuscrito, *¿No necesitas una pistola?*, debajo del nombre de Manuel

111

Trejo impreso en letras de molde.

—¿Es un homónimo? —pregunté a Aarón.

—Es el mismísimo amigo de León Toral.

—¿Vive?

—Claro que vive, la tarjeta es de él. Tiene como setenta años y desde hace mucho trabaja como delegado de actores en la ANDA.

—¿Estás seguro?

—Estuve hablando con él hoy en la tarde.

Aarón Hernán me contó que Manuel Trejo estaba furioso porque se había enterado de que pensábamos revivir en el teatro el juicio de León Toral y la Madre Conchita. Le parecía un crimen. Cómo nos atrevíamos a armar un escándalo con un episodio que todos querían olvidar. ¿Para qué? ¿Con qué objeto? Sólo para perjudicar a los sobrevivientes, claro, por pura maldad. Era un crimen.

—Me gustaría conocer a Manuel Trejo —dije a Aarón.

—Yo lo pensé y se lo dije, pero se puso más furioso todavía. No quiere verte ni saber nada de ti. Ni lo busques.

No busqué a Manuel Trejo en 1971. Siete años más tarde, Arturo Ripstein me habló de él. Con su mismo trabajo de delegado de actores, Trejo había participado en algunas películas de Ripstein y durante las filmaciones solía contarle anécdotas de su vida pasada: de cuando anduvo prófugo en Estados Unidos, de cuando lo apresaron al regresar a México creyéndose a salvo, de cuando vivió confinado en las Islas Marías. . . Desde luego, ni una palabra sobre su amistad con León Toral y su participación en el magnicidio de Obregón. Al enterarse de mi teoría detectivesca sobre la pistola del crimen, Ripstein prometió presentarme a Manuel Trejo y ayudarme a sacarle "toda la sopa". Nunca se produjo el encuentro.

A principios de agosto de 1971 el montaje de *El juicio* se hallaba prácticamente concluido. Faltaba afinar los ensayos, pero Félida Medina ya había proyectado la escenografía y Gabriel Retes daba los últimos retoques a un breve documental —filmado con el material fotográfico del archivo de *Excélsior* que nos permitió utilizar Julio Scherer García— para ilustrar el prólogo histórico de la obra.

Todo estaba casi listo, menos la autorización de la Oficina de Espectáculos.

Espectáculos encargó *El juicio* al mismo empleado que había supervisado *Los albañiles* dos años atrás: Víctor Moya. Retes visitaba a Moya cada tercer día para reclamarle por el retraso inexplicable de la autorización, para averiguar si Espectáculos pensaba en serio censurar la obra.

El término hacía fruncir el entrecejo del supervisor. En un régimen de libertades como el nuestro —decía— la palabra censura era totalmente inadecuada:

—La autorización se ha retrasado porque se tiene que examinar si la obra afecta o no la vida privada de terceras personas.

—¡Pero cuál vida privada de nadie! —gritaba Retes—. Es un hecho histórico que fue público.

—Eso es lo que se está ponderando —respondía Moya.

Como de ahí nadie sacaba al supervisor —se está ponderando, se está ponderando—, Retes y yo solicitamos tratar el asunto con el jefe máximo de la oficina: el licenciado Luis del Toro Calero.

Se aceptó en principio nuestra petición, pero Del Toro Calero nos castigó durante semanas con citas en falso o antesalas infinitas que terminaban resolviéndose con el pretexto majadero proferido por un empleado:

—El licenciado no los va a poder recibir. Tuvo que salir urgentemente al Departamento... Dejó dicho que mañana.

Del Toro Calero recibió por fin a Retes, sólo para argumentarle en el mismo tenor de Moya: no existe la censura, la obra está en proceso de revisión, deben tener un poco de calma.

—¿Nos pide calma después de tres meses? —Retes se exaltó como nunca—: Diga mejor que va a prohibirla y aténgase a las consecuencias.

—No está prohibida.

—Aténgase a las consecuencias, licenciado. Armaremos un escándalo en los periódicos.

Del Toro Calero se atemorizó:

—Deme hasta el viernes, maestro Retes. Le prometo que para el viernes a más tardar tendrá su autorización.

Pero llegó ese viernes, y el viernes de la semana siguiente, y la Oficina de Espectáculos no expidió la autorización de *El juicio* ni Luis Del Toro Calero se presentó a sus citas.

Para entonces ya habíamos iniciado una campaña de denuncias en los diarios. Convocábamos a entrevistas de prensa; hacíamos declaraciones individuales acusando a las autoridades de Espectáculos de violar la Constitución y mencionando los frecuentes pronunciamientos del presidente Luis Echeverría sobre la apertura democrática y el derecho ciudadano a ventilar en público nuestro presente y nuestro pasado.

El martilleo periodístico fue constante y tupido. Del Toro Calero se vio obligado a conceder una entrevista a Ignacio Solares para *La cultura en México* de *Siempre*:

> Lo acaecido con la obra en Vicente Leñero, *El juicio*, se ha prestado a un mal entendimiento. Por principio de cuentas, cuando hace cuatro meses se presentó por primera vez para su aprobación, no había teatro donde montarla, por lo que hubo que esperar un tiempo, al cabo del cual se pidió a Ignacio Retes y a Vicente Leñero que presentaran una nueva solicitud. Ahora bien, la aprobación no ha podido expedirse por una sencilla razón: hay personas —entre ellas mencionaré a Fernando Torreblanca— que protestan que lesiona intereses de terceros. Y esas personas tienen derecho a esa protesta, y eso es lo que actualmente se está ponderando. Pero esto de ninguna manera significa que *El juicio* se haya prohibido. Por otra parte, el problema no atañe al contenido de la obra —contenido que sólo el público podrá juzgar— sino únicamente a su aspecto jurisdiccional.

Retes replicó a las explicaciones del jefe de la Oficina de Espectáculos en forma virulenta. En relación con la falta de teatro:

> El licenciado Del Toro miente. Ha perdido la cabeza, ha perdido la documentación o ha perdido la vergüenza. Desde abril de este año cuento con un teatro.

En relación con las lesiones a intereses de terceros:

114

Idénticas razones podrían argüir los cristeros, pero ¿le corresponde a Espectáculos el papel de pilmama, alcahueta o cómplice de obregonistas o cristeros?

Y en relación a que la obra no estaba prohibida:

Si la obra no está prohibida, ¿por qué no ha sido autorizada en cuatro meses? La demagogia y la burocracia se dan la mano para atentar contra la libertad de expresión.

El mismo Ignacio Solares realizó una encuesta entre escritores. Héctor Azar dijo:

El teatro refleja siempre los problemas del tiempo en que transcurre. Si nuestro momento es de profundas preocupaciones humanas, manifestadas particularmente por la política, no debe inquietar al censor el abordaje teatral de la cosa pública cuando las direcciones nacionales procuran y estimulan su discusión franca y abierta.

Y José Emilio Pacheco:

Leñero se atrevió con un tema tabú como lo es todo tema posterior a Díaz. Por las mismas razones no se pudo escenificar *El atentado* de Ibargüengoitia y se enlató *La sombra del caudillo*. Si se persiguen obras y películas que tratan de los asesinatos de Obregón y Serrano, ¿qué pasará cuando a alguien se le ocurra llevar al teatro o al cine las matanzas del dos de octubre y del diez de junio?

Únicamente Salvador Novo tuvo una opinión discordante:

Tengo entendido que se trata de la reproducción fiel de la transcripción taquigráfica del juicio a León Toral y a la Madre Conchita. Eso no es teatro, y quizás ésta sea la causa por la que es prohibida.

Mientras proseguíamos nuestra guerrilla en las páginas de espectáculos de los diarios, Retes y yo acudimos al Tribunal de lo Contencioso —encargado de dirimir querellas entre particula-

115

res y dependencias gubernamentales del D.F.— para dar curso a una demanda contra la Oficina de Espectáculos. Aunque nuestro caso pareció insólito a los empleados del tribunal, el juez a cargo terminó reconociendo que nuestra demanda procedía y se aceptó la solicitud. Desde luego nunca prosperó la acusación.

Tampoco se cumplieron las promesas del licenciado Octavio A. Hernández, secretario del Departamento del D.F. Habíamos solicitado una audiencia con el jefe Octavio Sentíes —quien apenas cumplía tres meses de haber entrado en sustitución de Alfonso Martínez Domínguez— y nos remitieron al secretario. El licenciado Hernández nos recibió después de una antesala de tres horas, se dio por enterado del caso y prometió resolverlo a nuestra entera satisfacción en el lapso de una semana. Mentía, desde luego. Nunca movió un dedo para resolver nada.

Pensé en recurrir entonces a Ricardo Garibay. Aún no éramos muy amigos pero lo admiraba por sus novelas y por sus artículos semanales en la sección editorial de *Excélsior*. Charlamos en un café de la colonia Hipódromo. Le entregué una copia de *El juicio*. Después de oír mi relato, Garibay se mostró indignado contra esos burócratas pendejetes de la Oficina de Espectáculos. Prometió escribir un artículo tronante en *Excélsior* y hablar con Rodolfo Echeverría, gerente del Banco Cinematográfico y hermano del presidente de la República.

Garibay cumplió su doble promesa. Primero el artículo contra la estúpida actitud censora de los funcionarios lacayos y después un telefonema:

—Hablé con Rodolfo, mi querido Vicente. Enrojeció de cólera tanto como yo y me garantizó que mañana mismo daría órdenes a Sentíes, óyelo bien: órdenes, para que se apruebe tu obra de inmediato. Todavía no lo hagas público, pero el problema está resuelto. Te doy mi palabra de hombre.

Sólo a Retes di cuenta de la conversación telefónica de Ricardo Garibay.

Transcurrió una semana sin noticias. Al fin, la primera señal: un reportero del noticiario televisivo *Veinticuatro horas*, de Jacobo Zabludowsky, nos solicitaba una entrevista para que habláramos sin reserva alguna de los problemas de *El juicio*.

—Si Jacobo quiere que denunciemos a la Oficina de Espectáculos en su programa es porque recibió línea de muy arriba —opinó Retes—. Zabludowsky no se atrevería jamás a hacerlo por su propia cuenta.

Un día después de que la entrevista se proyectó en las pantallas de televisión, recibimos un llamado del Departamento del Distrito Federal. El licenciado Octavio Sentíes nos invitaba a comer.

Retes y yo nos vestimos como para una fiesta. El jefe de Relaciones Públicas del Departamento, Amado Treviño, nos recibió tuteándonos como si nos conociera de toda la vida, y antes de que entráramos en el comedor privado del regente me pidió, en tono confidencial, que si el licenciado Sentíes mencionaba algo yo le respondiera que él y yo éramos viejos amigos.

Bebimos whisky antes de sentarnos a comer.

Sentíes se manifestó de inmediato como un teatrófilo apasionado. Recordaba varias puestas en escena de Ignacio Retes en la primer temporada del Seguro Social, y por supuesto sabía de *Pueblo rechazado* y *Los albañiles*. Como si leyera nuestros datos en un memorándum preparado por algún empleado de su oficina, Sentíes aludió a una media docena de montajes de Retes y citó los títulos de mis piezas teatrales y de mis novelas.

—Estoy tan convencido de la importancia del teatro —dijo, cuando empezamos a comer huachinango a la veracruzana— que tengo pensado hacer una gran campaña para llevar el teatro al público mayoritario del Distrito Federal. Podíamos empezar con una gran temporada de teatro popular utilizando el mayor número de salas disponibles para montar obras mexicanas a precios económicos. ¿Qué les parece? Me gustaría que me ayudaran: usted, maestro Retes, con su gran experiencia, y usted, Leñero, que escribe tanto.

Pensé que la entrevista pintaba mal. De los halagos pasaba al ofrecimiento de chamba. Todo sonaba a chantaje. Ni una palabra sobre la autorización de *El juicio*.

Me refutó Sentíes cuando llegó el momento del café y el coñac:

—Acabo de leer *El juicio*. Es una obra estupenda, lo felicito. Yo viví en parte aquella época y me trajo muchos recuerdos. El licenciado Demetrio Sodi, el defensor de León Toral... ¡qué gran orador era el licenciado Sodi!, ¿no les parece?; un orador extraordinario. Don Demetrio Sodi fue casualmente mi maestro en la Facultad de Derecho, ¿sabían eso? Siempre lo admiré muchísimo. Era un catedrático brillante. De los mejores. Y qué bien está Sodi en la obra, eh. Exacto. Tal como era: agudo, inteligente, agresivo. Éste es el teatro que está haciendo falta en México. Un teatro que hable de nuestros problemas, de nuestra historia. —Sentíes se interrumpió para leer la tarjeta que le llevó hasta la mesa un militar uniformado. Respondió con una señal de entendimiento. El militar se fue. Sentíes continuó:

—Por desgracia yo soy un funcionario público y en el caso de su obra, por ejemplo, he tenido que hacer a un lado mi opinión personal. Si por mí hubiera sido, se habría aprobado de inmediato, sin el menor problema. Pero como ustedes saben los obregonistas nos presionaron mucho. Alegaron que la obra afectaba sus intereses, dijeron que acarrearía malestares políticos. Yo estuve siempre convencido de que no tenían razón, pero en mi situación de funcionario público me sentí obligado a tomar en cuenta sus puntos de vista. Por eso se retrasó la autorización de la obra. No porque pensáramos prohibirla, jamás, sólo para dar tiempo a que se tranquilizaran los obregonistas.

—¿Entonces la obra ya está autorizada, licenciado? —interrumpió Retes.

—Desde luego. Me permití invitarlos a comer para darles la noticia.

—Muchas gracias, licenciado.

—Lo único que ahora me hace falta, para llenar un simple expediente, es que unas seis o siete personas del Departamento, gente de mi entera confianza, vean un ensayo de la obra. Un ensayo informal; sin vestuario, sin escenografía, como ustedes dispongan. ¿Sería posible?

—Claro que sí, licenciado.

—Es sólo para llenar un expediente. Un simple trámite. La autorización para estrenar la obra ya la tienen.

Acompañadas por Amado Treviño, siete personas designadas por Octavio Sentíes acudieron al teatro Orientación para

118

ver un ensayo completo de *El juicio*. Tenían aire de maestros de escuela primaria. Ocuparon siete butacas de una sola fila y en absoluto silencio, sin delatar la menor reacción de interés o descontento, presenciaron los dos actos de la obra. Se fueron sin decir palabra. Sólo Amado Treviño se detuvo para hablar conmigo:

—Qué bonita está tu obra.

—¿Te pareció bonita?

—Muy interesante. No sé por qué los obregonistas hicieron tanto escándalo, no tienen razón. Va a ser un exitazo. Hasta creo que el teatro le queda chico a tu obra. ¿Cuántas localidades tiene?

—Trescientas cincuenta.

—A veinte pesos son siete mil pesos por función —multiplicó rápidamente Treviño—. ¿Tú cuánto recibes de ese dinero?

—El nueve por ciento.

—Menos de setecientos pesos.

—Mucho menos porque es difícil llenar el teatro siempre. Si alcanzamos un promedio del cincuenta por ciento de espectadores por función ya podemos decir que la obra es un éxito.

—Y tú vendrás recibiendo alrededor de trescientos pesos diarios.

—Por ahí.

—¿A cuántas funciones piensan llegar en toda la temporada?

—Ojalá lleguemos a las cien.

—Entonces tú ganarás en total como treinta mil pesos, ¿no?

—Cuando mucho.

—Oye, es poquísimo. Treinta mil pesos por una obra de teatro. ¿Eso es lo que ganan los escritores? Poquísimo, caray. De veras poquísimo.

Al día siguiente de que la Oficina de Espectáculos expidió la autorización de *El juicio*, Luis del Toro Calero me citó en su despacho sólo para darme una explicación de tipo personal, dijo. Ahora que el incidente había concluido yo podía darme cuenta de que él no fue responsable del problema de mi obra: se limitó a obedecer órdenes superiores. Del Toro Calero no tenía alma de censor; si algo respetaba era el teatro, la literatura. Es más: también él, en sus ratos libres, escribía cuentos.

Ojalá pudiera yo leerlos algún día y darle una opinión.

Igual que conmigo, Del Toro Calero se disculpó con Retes en lo privado y aprovechó la entrevista para mostrarle una carta en la que Félix González, alto funcionario de la ANDA, se ponía al servicio de la Oficina de Espectáculos para impedir que se estrenara *El juicio* aduciendo que la empresa no había cubierto ciertos requisitos en la contratación de actores.

—Para que vea de lo que son capaces sus amigos de la ANDA —dijo Del Toro.

Retes y el jefe de la Oficina de Espectáculos se despidieron como grandes amigos. Al fin, después de cinco meses, se habían resuelto los problemas. Ahora sólo faltaba el visto bueno de un supervisor la noche del ensayo general, pero estaba concedido de antemano.

El lunes veinticinco de octubre, cuatro días antes del estreno, Amado Treviño me invitó a tomar café en el hotel Ciudad de México, a unos pasos del Zócalo. No tomamos café. Llegando llegando me senté en el sillón circular del lobby para escuchar a Amado Treviño.

Menos risueño que de costumbre, el jefe de Relaciones Públicas del Departamento empezó pidiéndome discreción para lo que iba a decirme. Ni siquiera el licenciado Sentíes estaba enterado del tema de la entrevista, aseguró.

Paré la oreja. Me llenaban de desconcierto los prolegómenos de Amado. Los prolongó aún más:

—Como ya pudiste darte cuenta, mi señor es un señor a toda madre y por eso yo estoy entregado a él en cuerpo y alma, de veras, porque vale la pena, porque él va a poner orden en muchas cosas y porque está decidido a resolver los grandes problemas de la ciudad. Quiere hacerlo y puede hacerlo. Es un hombre que tiene bien fajados los pantalones. Tú lo viste. Para atreverse a autorizar tu obra con la presión en frente de los obregonistas, que no son cualquier cosa, nada más imagínate: los obregonistas presionando con toda la fuerza que tienen y mi señor defendiendo a toda costa la libertad de expresión; para hacer eso se necesitan güevos. Yo por eso estoy con él. Por un hombre así uno se juega la vida. ¿No harías tú lo mismo?

—Me imagino que sí.

—Lo que tú no sabes es que chingarse a los obregonistas no es fácil, Vicente. En política es muy peligroso; más porque mi señor apenas está entrando en el Departamento y hay mucha gente interesada en moverle el piso. Con lo de tu obra se van a aprovechar unos cuantos. Yo lo sé. Tengo informes muy exactos. Y sería terrible, de veras terrible, que le armaran una fregadera al licenciado Sentíes, ¿no te parece?

—Sí, sería terrible.

—Tu obra ya está autorizada. Eso es un hecho. Pero el otro día, dándole vueltas y más vueltas al asunto llegué a la conclusión, una conclusión absolutamente personal de la que mi señor no tiene la menor idea, que en las circunstancias políticas actuales aliviaría muchísimo al licenciado Sentíes que tu obra, en lugar de estrenarse ahora, se estrenara digamos dentro de un año. Nada se pierde. Seguirá siendo igual de importante, igual de histórica. Pero ya dentro de un año mi señor estará totalmente consolidado en su puesto y tu obra se estrenará con todo el apoyo oficial en un buen teatro; no en un teatrucho como éste sino en el más grande, en el mejor, en el que tú escojas. Tú me dices éste, y en ése la estrenamos, cómo chingados no. Con todo el apoyo del Departamento.

—¿Van a quitarnos la autorización?

—No, qué barbaridad, no me has entendido. La idea es absolutamente mía. De esto no sabe una sola palabra el licenciado Sentíes. Lo que yo te pido, como un favor de amigos, es que aplacen voluntariamente el estreno para el año próximo. Un año se pasa volando, ¿a poco no? Desde luego yo entiendo que eso les va a causar molestias y contratiempos con los actores, y en esas circunstancias me parecería justo, de ley, no faltaba más, que ustedes tuvieran derecho a una indemnización. . . Según las cuentas que hicimos la otra noche tú calculabas ganar algo así como cuarenta mil pesos, ¿no?

—Treinta mil.

—Pues yo te ofrezco como indemnización, por aplazar sólo un año el estreno de la obra, ciento cincuenta mil pesos para ti y ciento veinticinco mil para Retes y los actores. Si te parece poco tú dime otra cantidad, lo que consideres justo.

Aunque ya teníamos en nuestro poder la autorización de la

Oficina de Espectáculos y mi conversación con el jefe de Relaciones Públicas del Departamento iba a quedar como una simple plática privada entre amigos —según prometió Amado Treviño— mi espontáneo rechazo a su propuesta podría originar represalias, pensé. Si las autoridades se empeñaban de veras en impedir el estreno de *El juicio* cualquier pretexto les resultaría válido: un inspector que alega malas condiciones sanitarias en el teatro, la negativa del supervisor en el ensayo general aduciendo alteraciones en el libreto, el subterfugio de Félix González...

—No se atreverán —pronosticó Retes.

Horas antes del ensayo general, la madrugada del veinticuatro de octubre, Aarón Hernán despertó delirando a Oli, su mujer. Se quejaba de un agudo dolor en el vientre y ardía en fiebre. Oli llamó a Retes, llamó una ambulancia, y en ambulancia, a sirenazo abierto, trasladaron al protagonista de León Toral a la clínica de la ANDA. El médico diagnosticó infección intestinal. Aarón Hernán debería guardar cama durante tres días por lo menos. Desde luego no podría levantarse para el ensayo general ni salir a escena el viernes, la noche del estreno.

Al mediodía del jueves Estela y yo llegamos volando a la clínica de la ANDA. Era cierto: Aarón estaba francamente mal. La fiebre no cedía: treinta y nueve, treinta y nueve y medio, cuarenta de calentura.

La catástrofe. Sin Aarón no había León Toral y sin León Toral no había estreno. Imposible pensar en un actor sustituto a esas alturas.

Retes telefoneó a Luis del Toro para explicarle nuestra situación y avisarle que suspenderíamos el estreno, pero Del Toro se desbocó en aspavientos: Imposible. Ni pensarlo. Teníamos que estrenar a la fuerza porque de otro modo todo mundo sospecharía una prohibición de última hora de la Oficina de Espectáculos y los periodistas se lanzarían contra él.

—Pero tiene cuarenta de calentura y el médico dice que una infección no se resuelve de la noche a la mañana —explicó Retes.

—Eso es asunto suyo —respondió Del Toro—. A ver cómo le hacen pero ustedes estrenan, no faltaba más.

Mientras Retes, Francisco Villarreal, Estela y yo nos paseábamos de un lado para otro en la planta baja de la clínica de la ANDA, Oli contó que ya otras veces, en víspera de algún estreno, Aarón se había puesto igual: dolores en el vientre y calenturón.

—Algo psicológico —dijo Estela.

—¿Qué ganamos con saberlo? —replicó Villarreal.

—Al menos se puede hacer que desaparezcan los síntomas.

—¿Cómo?

—Intentándolo con hipnosis.

Estela era amiga del doctor Daniel Nares, un psicoanalista que había hecho, como ella, estudios de hipnosis. Mi esposa no se especializó en la técnica, pero Nares llegó a ser un experto, aunque por ese tiempo sólo aplicaba hipnosis eventualmente. Era el especialista adecuado para sacar a Aarón Hernán de la clínica.

Pese a su esceptisismo hacia lo que consideraba una cuestión de brujería, Francisco Villarreal aceptó acompañar a Estela al consultorio del doctor Nares. Regresaron con él.

La sesión de hipnosis para levantar a Aarón, en la que solamente Estela estuvo presente acompañando a Nares, duró alrededor de una hora. Cuando nos llamaron al cuarto el actor se hallaba de pie, jubiloso y dicharachero. La fiebre había cedido por completo, nada le dolía, y estaba listo para el ensayo general y el estreno de *El juicio*.

El más sorprendido fue el médico de la clínica cuando confirmó que su paciente estaba de veras en perfecto estado de salud, sin fiebre ni síntomas. Se resistió a darlo de alta, pero aceptó finalmente que abandonara el hospital bajo la responsabilidad del propio Aarón.

No ocurrieron más incidentes. Ninguna fuerza de choque se presentó —según temíamos— a bloquear el teatro. En un clima de tranquilidad absoluta, *El juicio* se estrenó en el Orientación el veintinueve de octubre de 1971.

Mi madre estaba feliz al término de la función. La invité al estreno a pesar de que meses antes se molestó conmigo cuando le dije que estaba preparando una obra "sobre esos fanáticos que mataron al manco". La palabra fanático hirió su susceptibilidad. León Toral y la Madre Conchita ocupaban un lugar privilegiado en sus recuerdos. Igual que el magnicida, mi madre nació con el siglo y solía contarnos cómo ella y otras damas de su edad formaban valla ante el tribunal de San Ángel, durante el juicio. Cuando León Toral y la Madre Conchita entraban o salían del edificio custodiados por los gendarmes, mi madre y sus compañeras les arrojaban flores y les gritaban frases de aliento. Cómo me atrevía a escribir entonces sobre una época que no viví. Con qué derecho me burlaba de aquellos mártires.

Para demostrarle mi objetividad, invité a mi madre al estreno. Salió encantada.

Encantados, fascinados salían también muchos otros ancianos que empezaron a acudir noche a noche a las representaciones de *El juicio*. Llamaba la atención ver la butaquería sembrada de cabezas blancas y oír los aplausos con que unos viejos interrumpían el discurso final de Jorge Mateos, intérprete del defensor Demetrio Sodi, y otros el de Marcos Ortiz, intérprete del procurador Ezequiel Padilla. Se formaban bandos opuestos en la sala: aplausos y siseos, siseos y aplausos. La polémica no había terminado. La revivían los viejos ahora, aunque solamente en el teatro.

Uno de aquellos viejos me buscó una noche al terminar la función:

—Nunca pensé que después de tantos años volvería a vivir una experiencia tan dolorosa. —Era sacerdote jesuita y vivía en el extranjero—. Soy hermano de José de León Toral —me aclaró.

Por lo general, las críticas periodísticas sobre *El juicio* fueron positivas, algunas entusiastas.

Armando Ayala Anguiano me telefoneó. Además de dirigir la revista *Contenido* dirigía entonces un suplemento semanal de *Novedades*: *Vida capitalina*. Después de ver *El juicio* pensó en preparar un reportaje verdaderamente original para *Vida capitalina*. Quería que uno de sus reporteros, Luis Rábago, me acompañara a visitar a la Madre Conchita y escribiera luego una crónica de nuestro encuentro.

Acepté. Estrenada la obra ya no tenía reparo alguno en

conocer a la exmonja y a su marido Castro Balda. Por el contrario, sentía una gran curiosidad.

La Madre Conchita y Carlos Castro Balda habitaban tres pequeños cuartos de una vivienda de renta congelada. La vivienda formaba parte de una vetusta casona de la avenida Álvaro Obregón, colindante con el sitio que ocupó la residencia del presidente asesinado y donde ahora se erigía el edificio del Partido Popular Socialista.

No fue una reunión afortunada. La presencia de Luis Rábago como reportero y del fotógrafo Francisco Murguía instaló desde el principio un ambiente convencional, de postizas cordialidades. Tanto la Madre Conchita como Carlos Castro Balda me abrazaron como a un amigo entrañable y el viejo activista se soltó dictando frases para la prensa. Yo era un gran escritor, yo tenía bien fajados los pantalones, yo era un valiente por haberme atrevido con un tema tabú y por haberlo hecho, sobre todo, con absoluto apego a la verdad histórica.

Sólo Castro Balda hablaba. Apenas Luis Rábago o yo lanzábamos preguntas inocentes a su esposa, el viejo activista interrumpía las primeras frases de la Madre Conchita para soltar una interminable perorata plagada de obviedades que culminaba siempre con la declaración cajonera: Concha fue inocente, fue una mártir:

—¿Qué culpa pudo tener esta pobre criatura que sólo daba albergue en su casa a los que planeábamos la muerte de Obregón?

Traté de introducir el tema de Manuel Trejo.

—Yo nunca supe nada —respondió la Madre Conchita. Y de inmediato su marido repitió la versión que los católicos de aquella época convirtieron en oficial:

—Pepe actuó por su propia cuenta, a nadie dijo nada. Nos sorprendió a todos.

Dejé a Castro Balda iniciar un nuevo discurso y miré a la Madre Conchita.

Sentada en su silla de mimbre, envuelta en un chal de estambre que le llegaba hasta el borde de su batón largo, parecía una mujer distinta de aquella brava religiosa de treinta y siete años que en 1928 se defendía de sus acusadores como una leona. Su cuerpo redondo, inmenso, su papada colgante, su cutis blanquísimo, le daban el aspecto de una abuela bondadosa que llegaba al final de su vida sin haber sufrido jamás el menor sobresalto. Parecía una santa. Tal vez lo era. Quién sabe. Por un momento creí sentir que sus ojillos me lanzaban alfileres como si adivinaran mis sospechas.

Castro Balda seguía hablando ante Luis Rábago y Francisco Murguía.

No. Nunca fue absolutamente clara la inocencia de la Madre Conchita. Sus declaraciones durante el jurado popular no correspondían por completo a lo que escribió en sus memorias sobre León Toral ni a las declaraciones que hizo al periodista Miguel Gil en las Islas Marías. Durante la preparación de mi obra de teatro registré incongruencias, contradicciones, mentiras. De admitir una relación amistosa con el magnicida pasaba a negarla o a desviar la atención sobre el punto. ¿Y qué de las continuas visitas a su casa de Samuel Yúdico, hombre de confianza de Luis N. Morones, según señala Alfonso Taracena? ¿Y el parentesco de la Madre Conchita con aquella mujer de Morones: simple casualidad, coincidencia?

Inútil interrogarla ahora. Aunque la dejara hablar Castro Balda ella confesaría lo mismo que se cansó de repetir hasta su vejez:

—Yo nunca supe que León Toral pensaba matar a Obregón.

Se iría, se fue a la tumba —ocho años más tarde— con sus secretos.

Regresé a la casa de la Madre Conchita una semana después. Francisco Villarreal, Aarón Hernán, pero sobre todo Silvia Caos, quien la representaba en escena, tenían gran interés en conocerla. Villarreal pretendía convencer a ella y a su marido de que fueran una noche al teatro: sería un golpazo publicitario para la obra: se invitaría a la prensa, hasta se podría incluso organizar un teatro-fórum. Absurdo, imposible, respondió de inmediato Castro Balda. Además de que resultaría peligroso por los obregonistas resentidos, el corazón de la anciana no resistiría revivir aquel juicio infame. No irían al teatro ni de incógnitos.

Pese a la propuesta de Villarreal, los viejos se portaron cor diales durante la visita. La exmonja causó a Silvia Caos tan buena impresión que a partir de esa fecha Silvia fue a menudo al departamento para oírla hablar del amor a Dios, de los cuadros religiosos que la Madre Conchita pintaba al óleo, de las puntadas de derecho y de revés en sus tejidos de estambre, de la serenidad con que aguardaba la muerte.

Mientras Villarreal, Aarón y Silvia Caos examinaban los cuadros y los tejidos de la exmonja yo intenté llevar a Castro Balda al terreno de mis lucubraciones:

—He pensado mucho en los cinco encuentros de León Toral con Manuel Trejo en vísperas del magnicidio.

—Ni Trejo, ni ninguno de nosotros, supo nada de las intenciones de Pepe.

—Pero usted mismo ha dicho que deseaban la muerte de Obregón.

—Estábamos convencidos de que los problemas del país se agravarían con el regreso de Obregón. Pero mire una cosa. —Castro Balda sacudió el índice como un maestro de escuela—. Nosotros no pensábamos únicamente en los problemas religiosos. Se ha malinterpretado nuestra actuación en el conflicto. Nos preocupaba desde luego la persecución, pero también veíamos que Obregón tenía intenciones de abrir las puertas del país a los Estados Unidos. La historia lo demostró después, nos dio la razón. La muerte del manco impidió que México cayera bajo el dominio norteamericano. Vea lo que pasa ahora con los gringos. Volvemos a vivir la misma amenaza. Y nosotros, los jóvenes revolucionarios de entonces, tuvimos el acierto de presentirlo con casi cincuenta años de anticipación.

—Taracena habla de una confabulación organizada por Morones. . .

—Se ha dicho mucho que Morones, y que Calles se valían de nosotros para deshacerse del manco. Pero no es cierto. Si nosotros, si Concha se hubiera prestado a esos enjuages, ¿usted cree que viviríamos ahora en esta pobreza? Mire, mire el departamento. Tenemos renta congelada. Pagamos ciento veinticinco pesos al mes. La casa se está cayendo. Nos mantenemos gracias a la caridad de los amigos. ¿Usted cree de veras que si Morones y Calles se hubieran valido de nosotros estaríamos en esta situación? Viviríamos en otra parte, fuera del país, con mucho dinero. Nuestra pobreza es la mejor prueba de nuestra inocencia, ¿no le parece?

Fue lo más que logré de Castro Balda. No volví a verlo.

El juicio funcionó bien en el teatro Orientación todo el mes de noviembre. En diciembre volvió a aparecer Jorge Landeta. Ya habían quedado muy atrás los problemas de la censura, las presiones de los obregonistas, y ahora el empresario reanudaba su interés: nos ofrecía el teatro Jorge Negrete que la ANDA le tenía rentado en concesión. El Jorge Negrete era un local más grande, mejor para la obra: todos ganaríamos más dinero. Aceptamos la propuesta de Landeta y en el teatro Jorge Negrete cumplió *El juicio* sus cien representaciones.

Como la obra continuaba haciendo buenas entradas, las cien no eran una meta final. Bien podíamos aguantar un par de meses e ir pensando, sobre todo, en una gira por la provincia. Por el momento no teníamos ofrecimientos del interior. La única solicitud concreta fue la de un grupo de estudiantes de la Universidad de Guanajuato que nos propuso presentar dos funciones de *El juicio* en el teatro Juárez, un lunes, el día que descansaban los actores. El grupo presumía de solvente, garantizaba dos llenos a reventar con la asistencia del rector, tal vez del gobernador, y de la comunidad universitaria en pleno. Gracias a esos dos llenos garantizados alcanzarían a pagar el alto costo que les pedimos por esa minigira extraordinaria y aún les quedaría dinero para aumentar los fondos de su corporación.

La realidad fue muy distinta de las promesas. Sin dar suficiente importancia a la publicidad, a la promoción previa, los estudiantes universitarios dejaron llegar el lunes veinticuatro de enero confiados en que el público guanajuatense se volcaría en el teatro Juárez al solo anuncio de la obra. La primera función fue un desastre: no había más de cien espectadores en el lunetario. Retes y Aarón Hernán llamaron entonces al representante del grupo para comentar el fracaso y decirle que la compañía no estaba dispuesta a dar una segunda función si ellos no garantizaban el pago prometido. Los universitarios continuaban optimistas: con las entradas de la segunda función tendrían de sobra para pagarnos: vendría el rector, vendrían maestros y estudiantes, el gobernador acababa de confirmar su asistencia: sería un éxito.

Sin embargo sonó la tercera llamada, se abrió el telón, y el lunetario se hallaba semivacío. Ni los respectivos séquitos del gobernador y del rector lograban disimular los enormes huecos que presentaba el teatro Juárez.

Aarón Hernán, Salvador Sánchez, Silvia Caos, estallaron en el intermedio:

—Estos muchachos nos vieron la cara de pendejos. El teatro está vacío, no nos van a pagar.

Llegó el representante del grupo:

—Pues sí, nos fallaron los cálculos —reconoció, cariacontecido. Se reanimó de pronto—: Pero al rector y al gobernador les está gustando mucho la obra. Están encantados.

—¿Con qué nos van a pagar? —preguntó Aarón.

—Que paguen con cuerpo —bromeó por lo bajo José Ramón Enríquez.

—El dinero que entró en taquilla. . .

—El dinero que entró en taquilla es una miseria —interrumpió Aarón—. No es ni la quinta parte de lo que acordamos.

—Pídanle dinero al rector, o al gobernador —sugirió Retes—. Explíquenles lo que pasa.

—Uy no, quedaríamos muy mal. Son nuestros invitados.

—Pues entonces no hay segundo acto —dijo Aarón—. Nosotros suspendemos y yo ahora mismo salgo a decir al público las razones.

El representante del grupo se puso a temblar:

—No nos pueden hacer eso.

—Ya verán si no.

Temblaban también sus compañeros universitarios. El intermedio se prolongaba ya muchísimo: veinte, veinticinco, treinta minutos. Se oían palmas de exasperación del poco público.

—Salgan a escena, por favor. Por lo que más quieran. Nosotros les prometemos pagarles después.

—Ahora mismo, o no hay segundo acto —insistía Aarón.

—Van a causarnos un daño terrible en la universidad, ustedes no saben, con el rector. El gobernador se va a poner

furioso con nosotros; ya hemos tenido muchos problemas. . .
Por favor, por favor.

Los actores terminaron ablandándose. Compadecidos, pero
de mala gana, dieron un segundo acto a la carrera cortando
parlamentos, abreviando escenas.

Al concluir la función el representante del grupo fue a los
camerinos a dar las gracias y a entregarnos los cinco mil quinientos veinte pesos que habían recaudado en taquilla. Desde
luego no alcanzaban siquiera para cubrir los gastos elementales
del viaje a Guanajuato.

No hubo más funciones extraordinarias ni gira por la provincia. A fines de febrero *El juicio* llegó en el Jorge Negrete a
ciento treinta y nueve representaciones y ahí concluyó definitivamente la temporada.

Tres años después, en 1975, Estela y yo vimos *El chacal*,
aquella película sobre un atentado al presidente Charles de
Gaulle basada en el libro de Frederick Forsyth. La película me
hizo pensar en la drámatica secuela de José de León Toral
tratando de cazar, cazando al fin, al presidente Álvaro Obregón. Aunque el contenido y los términos de la historia eran
muy distintos, consideré que el episodio mexicano podía tener
un efecto equivalente si se narraba en cine de manera similar a
como había sido narrada la aventura de *El chacal*. Yo tenía una
historia igual de interesante, tal vez mejor que aquélla porque
en ésta el asesino lograba plenamente su objetivo. No se trataba
de hacer una versión cinematográfica de *El juicio*. La tarea
consistiría en tomar tan sólo el pormenorizado relato que León
Toral hizo ante sus interrogadores dando cuenta de todos sus
preparativos para el magnicidio, y en función de ese documento, con mínimos añadidos complementarios pero con rigu-
rosa imparcialidad, contar para el cine el episodio histórico de
una cacería implacable. El título podría ser, precisamente,
Magnicidio.

Comenté mi idea con Ricardo Garibay y él me sugirió presentar un proyecto cinematográfico al taller de guiones que
encabezaba Rafael Baledón como secretario de la rama de
autores del STPC. Baledón había fundado el taller con los
miembros del sindicato, confiado en una promesa de Rodolfo

130

Echeverría según la cual todos los proyectos presentados oficialmente al Banco Cinematográfico por la rama sindical de escritores serían aprobados de inmediato para su filmación. Pese al entusiasmo inicial, pese a las promesas estatales renovadas de continuo, sólo el guión de *Los indolentes,* de Rubén Torres, llegó con el tiempo a convertirse en película. Los demás se proponían, se discutían y se retrabajaban de acuerdo con los dictados democráticos del taller —durante reuniones absurdas que remedaban al peor taller de creación literaria—, pero cuando finalmente llegaban al Banco Cinematográfico eran archivados en un congelador. Como simple proyecto, defendido arrebatadamente por Ricardo Garibay, *Magnicidio* fue aprobado sin reservas por el taller de Baledón. Algunos directores como José Estrada parecieron interesarse de momento; sólo Julio Bracho se entusiasmó con él. Para el director de *La sombra del caudillo, Magnicidio* era una película que le correspondía por derecho propio. Además de incidir en la temática del periodo obregonista, que él había hecho suya con la versión cinematográfica de la novela de Martín Luis Guzmán, Rodolfo Echeverría le había garantizado para ese año una buena oportunidad de filmar. Bracho se sentía marginado injustamente y en sus pláticas conmigo lo oí quejarse varias veces con amargura. Cómo a un director de su trayectoria, siendo además, como era, gran amigo de Rodolfo y del propio presidente Echeverría, lo dejaban de lado en los grandes proyectos estatales. No era justo. No era razonable que después de *En busca de un muro,* un film sobre José Clemente Orozco, le dieran únicamente argumentos de segunda como *Espejismo.* Estaban obligados a reconocer su historial, y al hacerlo tendrían que llamarlo para una nueva película a su altura.

—Terminaremos filmando *Magnicidio* —me decía Julio Bracho—. Ya verá, ya verá.

Todo se quedó en planes sobre las rodillas y en largas pláticas en las que el director me habló de sus buenas y sus malas experiencias en el cine mexicano. Rodolfo Echeverría no dio a Bracho una nueva oportunidad ni el Banco Cinematográfico compró el proyecto de *Magnicidio.*

Ya corría un nuevo sexenio cuando apareció Mario Hernán-

131

dez, un amigo de Ricardo Garibay que dirigía casi todas las películas del charro Antonio Aguilar. Por recomendación de Ricardo, Mario Hernández leyó un ejemplar de *El juicio*, editado por Joaquín Mortiz, y él a su vez se lo dio a leer a Tony.

—Tony se aceleró con tu obra —me dijo Mario Hernández—; quiere producirla, filmarla, actuarla.

Me pareció un mal chiste. Nada tenía que ver *El juicio* con los melodramas de charros y de héroes de corrido que acostumbraba filmar Tony Aguilar con su compañía Producciones Águila.

—¿Actuar él? ¿Y en qué papel?

—Me imagino que en el de León Toral.

—¿Y por qué no la Madre Conchita?

Mario Hernández me paró en seco. Tony Aguilar no era como la mayoría de los productores mexicanos. Rara vez se interesaba en proyectos ajenos, pero cuando se interesaba de veras, como ahora, su empeño resultante debía tomarse muy en serio. Desde hacía varios meses andaba queriendo ampliar el campo de Producciones Águila para hacer un cine trascendente, además de sus películas de charros que le dejaban dinerales, y por eso *El juicio* le había caído como anillo al dedo.

Dejé a un lado la chacota y expliqué a Mario Hernández que mi proyecto no consistía en escribir una adaptación de *El juicio* sino en hacer *Magnicidio*. Le conté detalladamente todo el plan.

—Entonces vamos planteándole a Tony los dos proyectos —replicó—. Primero se filma *Magnicidio* y luego, como una segunda parte, *El juicio*.

Escéptico, muy poco esperanzado, acepté que Mario Hernández me llevara al rancho de Tony Aguilar, en las afueras del D.F. Era una finca enorme. Detrás de un escritorio de ejecutivo, el actor sostenía una conversación telefónica en un despacho donde escaseaban los libros. Abundaban en cambio, allí y en toda la residencia, trofeos, objetos de charrería y sobre todo fotos. Grandes fotos enmarcadas cubriendo los muros de salones, pasillos, corredores, estancias. Tony Aguilar saludando a políticos y presidentes. Tony vestido de charro. Tony y la familia de Tony, su esposa Flor Silvestre, sus hijos, haciendo monerías a caballo durante sus grandes espectáculos ecuestres en el Auditorio Nacional, en San Antonio, en Los Ángeles...

Antes de hablar de negocios, apenas colgó el teléfono, el charro quiso mostrarme sus caballerizas. Parecían las del Hipódromo de las Américas. Cada ejemplar equino valía cientos de miles de pesos, algunos llegaban al millón. Eran caballos amaestrados: levantaban la patita para saludar cuando el amo se los pedía, bailaban la marcha Zacatecas o La Zandunga, hacían el muertito, reían horriblemente encogiendo los belfos. Al término de las caballerizas, en el círculo de arena de un lienzo charro, uno de los hijos de Tony montaba un alazán bellísimo. El chiquillo protestó cuando le ordenó su padre que hiciera rayar el caballo delante de mí, pero se sintió obligado a intentarlo. Falló la primera vez.

—Échele de nuevo mhijo.

Volvió a fallar. Ahora el chiquillo hacía pucheros y mostraba intenciones de bajar del caballo.

—No mhijo. Un buen charro nunca se da por vencido. Hasta que no lo raye, usted no se baja del caballo. —Tony se volvió hacia el caballerango: —Ahi te lo encargo.

Regresamos al despacho de la finca, ahora sí a hablar de negocios.

Mi libro sobre *El juicio* lo había sacudido, dijo Tony. Más que por la historia, él sabía del conflicto religioso de los años veintes por sus recuerdos de niño, por lo que contaba la gente mayor allá en Zacatecas y por las referencias que de aquellos tiempos hacían algunos corridos populares, como *Valentín de la sierra*. Era una época extraordinaria, digna de una película.

Igual que a Mario Hernández, le referí con todo detalle el plan de *Magnicidio*, trazado sobre la misma línea de *suspense* que *El chacal*.

—Una película de suspenso. Maravillosa idea —dijo Tony—. Y qué tipo éste León Toral, eh, qué tipo. A mí me gustaría hacer el papel. No sé si me vaya.

—Está difícil. León Toral era muy delgado y tenía veintiocho años cuando mató a Obregón.

—Eso sería lo de menos, pero si lo hace otro actor me daría igual. Lo importante es filmar la película.

Tony Aguilar corroboró entonces lo que ya me había explicado Mario Hernández: su decisión de ampliar el campo de Producciones Águila lanzándose a la filmación de grandes películas. Para que *Magnicidio* fuera de veras una gran película necesitaría un director de talla internacional; alguien como Alfred Hitchcock, el mago del *suspense,* ¿verdad que sí? Así de golpe parecía difícil convencer a Hitchcock, pero no lo era para Tony Aguilar. Se querían muchísimo, llevaban una gran amistad, y Tony estaba seguro de que si él pedia a Hitchcock filmar *Magnicidio,* el mago del *suspense* aceptaría volando.

Mario Hernández intervino:

—Acuérdate que son dos películas, Tony. Una es *Magnicidio,* que sería para Hitchcock, y otra es la adaptación de *El juicio,* que me gustaría dirigir a mí.

—Me encanta la idea —dijo Tony. Se puso en pie. Me señaló con el índice: —Te compro las dos películas.

—El guión de *Magnicidio* tengo que escribirlo.

—¿Cuánto tiempo necesitas?

—Digamos cuatro meses.

—Digamos diez. Te doy diez meses para que escribas el guión. ¿Cuánto dinero pides por los dos proyectos?

Me rasqué la nuca y pensé en Ricardo Garibay. Si Ricardo estuviera en mis zapatos ¿cuánto pediría por los guiones de dos películas? De menos, medio millón.

—Doscientos mil pesos —dije.

—Perfecto —dijo Tony—. Doscientos mil pesos. Trato hecho. Con una condición. Que me cobres en abonos durante diez meses: cinco mil pesos semanales.

Tony Aguilar cumplió religiosamente su compromiso. Semana a semana, durante diez meses, Gabriel Kapellman fue hasta la finca del charro actor a recoger en mi nombre el cheque de cinco mil. Al término del plazo yo entregué a Mario Hernández cuatro copias del guión de *Magnicidio.* A mi juicio, era un buen guión. Tal como lo había imaginado, la simple descripción cinematográfica de José de León Toral cazando a Álvaro Obregón era suficiente para crear una atmósfera expectante digna del mejor cine de *suspense.* La película terminaba cuando León Toral, después de asesinar al presidente en La Bombilla, cae al suelo insultado y golpeado por los comensales y pierde el conocimiento. Alguien grita: No lo maten.

Nada volví a saber de Tony Aguilar. Nada, tampoco, de las gestiones que seguramente hizo para filmar *Magnicidio* en México o en el extranjero. Un día encontré a Edmundo Báez en los estudios Churubusco. Trabajaba como supervisor de guiones de las compañías estatales y a él le habían turnado mi libreto. Lo aprobó con todo género de recomendaciones, me dijo, pero estaba seguro de que nunca recibiría la autorización definitiva: el tema pudo vencer la censura teatral pero era imposible que venciera la cinematográfica.

En 1980, cuando prescribieron los derechos de Tony Aguilar sobre *Magnicidio* y *El juicio,* Mario Hernández me dijo:

—Ahora el guión es tuyo. Puedes hacer con él lo que quieras.

Hablar por hablar. Tanto como yo, Mario Hernández estaba convencido de que nada se podía hacer ya con aquel libreto. Sólo guardarlo celosamente, si acaso, y hojearlo de cuando en cuando como un recuerdo.

LOS HIJOS DE SÁNCHEZ (1972)

A principios de 1966, cuando la editorial Joaquín Mortiz preparaba la edición en español de *Pedro Martínez,* un libro de Oscar Lewis, Joaquín Díez-Canedo me pidió revisar el texto definitivo elaborado por el antropólogo y su equipo de la universidad de Illinois para corregir puntuación y sintaxis en los puentes.que ligaban distintos trozos de las grabaciones originales. Fue un trabajo sencillo que a Oscar Lewis le pareció bien hecho.

A raíz de esa tarea conocí al antropólogo durante una reunión en casa del propio Díez-Canedo. Lo admiraba desde *Los hijos de Sánchez* y me hubiera gustado oírlo contar sus experiencias, pero en aquella reunión la única voz que se escuchaba era la de Fernando Benítez. Brillante, anecdótico, Benítez era el centro del convivio. Lewis se mantenía mudo en un sillón y sólo de cuando en cuando interrumpía al entonces rector de la cultura en México para celebrarle algún aserto. Me fui de la fiesta sin satisfacer mi curiosidad y hasta 1968, en diciembre, tuve ocasión de hablar con él. Yo quería agradecerle personalmente que hubiera votado por mí para la obtención de una beca Guggenheim y Lewis me buscaba para ofrecerme un trabajo. Nos vimos en el bar del hotel Geneve de la Zona Rosa.

El antropólogo no era un hombre de gran elocuencia. Como buen entrevistador manejaba inquisitivamente sus silencios y cuando le correspondía llevar la conversación buscaba ir en línea directa al punto medular. Tal vez por eso no se amplió en detalles sobre un intento fallido de filmar en México *Los hijos de Sánchez,* sobre un guión de César Zavattini y bajo la dirección de Vittorio de Sica. Por temor a resucitar el gran escándalo que generó la Sociedad Mexicana de Geografía y Estadística cuando apareció el libro en 1964, o porque se consideraba que el libro era en verdad denigrante, las autoridades mexicanas negaron el permiso para la filmación. De ese modo el proyecto cinematográfico había quedado en receso y lo que ahora interesaba a Oscar Lewis era la adaptación teatral de su estudio antropológico. Más que suya, la idea era de Elia Kazan. Kazan había prometido a Lewis montar la obra en Broadway, pero consideraba que la adaptación debería ser escrita por un dramaturgo mexicano que conociera el mundo de *Los hijos de Sánchez* y no incurriera en los graves errores de ambientación que plagaban el guión de Zavattini. Según me contó, Lewis empezó proponiendo el proyecto a Emilio Carballido y a Sergio Magaña. Ambos lo rechazaron. Luego Margarita Urueta escribió una versión que no satisfizo a Lewis, y finalmente me ofrecía el trabajo después de haber visto *Pueblo rechazado*.

Aunque las referencias a Elia Kazan y a Broadway eran suficientes para impresionar y animar a cualquiera, bastaba con haber leído las quinientas páginas de las amplísimas autobiografías de los Sánchez para prever que el trabajo resultaría dificultoso en grado extremo.

Lewis quiso terminar de exponerme los términos de su propuesta antes de escuchar mi parecer. Desde luego nos pondríamos de acuerdo primero en la línea general de la adaptación, él iría revisando después el proceso de mi trabajo y finalmente aceptaría o rechazaría mi versión definitiva. Cuando la obra se presentara en Broadway o en cualquier otra ciudad del extranjero, nos repartiríamos el monto de los derechos de autor en un sesenta por ciento para él y un cuarenta por ciento para mí. Cuando la obra se presentara en México iríamos al cincuenta y cincuenta.

No me atreví a aceptar de inmediato. Necesitaba releer antes *Los hijos de Sánchez* y medir mis posibilidades.

Tanto Estela, como Joaquín Díez-Canedo, como Ignacio Retes me alentaron desde el principio. Sin embargo el análisis de la obra acrecentó mis temores. Cómo acumular en el lapso estrecho de una representación normal a aquella multitud de seres humanos y de historias que se entrecruzaban. Cómo condensar las cinco biografías de la familia Sánchez en un periodo limitado de sus vidas. La obra no podía presentar a Manuel como un niño en el primer acto, como un joven en el segundo y como un hombre maduro en el tercero. Debería por fuerza sorprender a él y a todos en una sola edad y acumular en ella los acontecimientos principales de sus vidas que en la realidad habían ido ocurriendo a lo largo de sucesivas épocas. Tenía

140

además que centrar la obra en un personaje pivote que permitiera armonizar el resto de las diferentes historias: el padre Jesús Sánchez, por supuesto.

—Por supuesto —dijo Oscar Lewis cuando lo volví a ver—. Me gusta su idea, ya la tiene. Estoy de acuerdo con el proyecto. ¿Cuándo empieza?

—Hoy mismo —respondí.

Calculé seis meses para escribir la adaptación, pero Oscar Lewis me comprometió a terminarla en cuatro.

Tardé tiempo en sentarme a la máquina y tardé más en resolver los obstáculos de composición dramática que se me planteaban en cada escena. Me levantaba furioso. Rompía cuartillas. Suspendía el trabajo por semanas. Dejando pendiente la adaptación de *Los hijos de Sánchez* escribí la versión de *Los albañiles, Compañero, La carpa*. No podía con el reto pero ocultaba mis problemas cuando me entrevistaba brevemente con Lewis.

Era el tiempo en que Oscar Lewis realizaba una investigación en Cuba* que lo hacía viajar frecuentemente de Urbana, Illinois, a La Habana. Durante sus escalas en México se reunía conmigo para informarse de mi adaptación. Yo le mentía al decir que iba muy bien, que avanzaba, pero Oscar Lewis quería ver escenas escritas y yo sólo le traía planes, palabras, promesas.

—Prefiero entregarle un primer tratamiento completo, para que hablemos sobre él.

—¿Cuándo?

—Pronto. El mes próximo.

Rebasé el plazo de cuatro meses, el de seis. Ya iba a cumplir un año de haberme comprometido a escribir la adaptación de *Los hijos de Sánchez* cuando en una de aquellas entrevistas solicité a Oscar Lewis la oportunidad de conocer a los verdaderos protagonistas de su estudio. Aunque en el libro se les describía ampliamente, lo mismo que a sus viviendas y a su medio habitacional y laboral, yo necesitaba, le dije, tener una vivencia

---

* Ver Prefacio de Ruth M. Lewis a *Viviendo la Revolución. Una historia oral de Cuba contemporánea. Cuatro hombres*; Oscar Lewis, Ruth M. Lewis y Susan M. Rigdon. Editorial Joaquín Mortiz, México, 1980.

personal para retocar mi pieza, para afinar detalles de la adaptación. Sabía que Lewis era un celoso guardián de la identidad de sus protagonistas, pero no pensé que se negara a lo que yo creía indispensable para mi trabajo.

—Ya veremos después —me respondió secamente—. Primero quiero ver su adaptación terminada.

A mediados de 1970, cuando al fin estaba a punto de concluir la versión teatral de *Los hijos de Sánchez*, vi por última vez a Oscar Lewis. Su desconfianza hacia mí ya no era una simple sospecha, era una manifiesta realidad. Lo encontré de mal humor en el bar del hotel Geneve. Tenía prisa. Quería despachar su entrevista conmigo en el menor tiempo posible.

No se entusiasmó para nada cuando le hablé de que ahora sí pondría punto final a la pieza y en un par de meses a lo sumo estaría en disposición de entregarle una versión que yo consideraba definitiva. Me interrumpió de golpe. En vistas a mi informalidad, me dijo, él había aceptado de un personaje muy importante de la cinematografía mundial, de un gran actor norteamericano —no podía revelar su nombre— una oferta sumamente tentadora sobre los derechos cinematográficos de *Los hijos de Sánchez*. Aunque la venta de esos derechos para el cine no afectaba del todo mi adaptación teatral, sí le ponía un límite bien definido. Según los términos de su contrato con ese personaje importantísimo, mi obra podría representarse en México pero sólo en México, en los límites de la República Mexicana. En ninguna ciudad de ningún otro país. Ni en Broadway ni en ningún teatro del extranjero.

—Hice esa salvedad en el contrato por consideración a usted —dijo Oscar Lewis—. Aunque en realidad tengo serias dudas de que algún día termine la adaptación.

—La tengo casi lista.

—Le doy de plazo hasta fines de este año, porque también me han hecho ofrecimientos para hacer una versión de *Los hijos de Sánchez* en comedia musical.

Oscar Lewis voló a La Habana en lo que sería su último viaje a Cuba. Allá se encontró con un problema fulminante. El ministro de Relaciones Exteriores, Raúl Roa, le hizo saber en forma abrupta —según relató después Ruth M. Lewis— que el gobierno cubano había decidido suspender las investigaciones del antropólogo y su equipo en la isla. Lewis regresó a Urbana y ya no lo vi durante su breve escala en México.

El desánimo provocado por las limitaciones a mi adaptación teatral impuestas por el contrato entre el antropólogo y aquel personaje importantísimo del cine, más la reelaboración completa de un tercer acto que no acababa de satisfacerme, obligaron a prolongar mi trabajo hasta los primeros días de diciembre, en el límite mismo de aquel último plazo fijado por Oscar Lewis.

Saqué un par de copias a la obra, confeccioné un paquete, y estaba a punto de enviarlo a la Universidad de Illinois cuando en un diario leí la noticia: dieciséis de diciembre de 1970: Oscar Lewis acababa de morir de un infarto en Nueva York.

El golpe fue doble. Me sacudió la muerte del admirado antropólogo y me sacudió también —no pude evitarlo— la amenaza de muerte que por ese hecho infausto sufría mi trabajo teatral. Nunca firmé un contrato con Lewis ni existía papel alguno que certificara el compromiso que habíamos hecho de pura palabra.

Confié en Ruth, la viuda del antropólogo. Ella había estado presente en algunas de las entrevistas que sostuve con Lewis durante la elaboración de la pieza y conocía de sobra el compromiso. No me podía fallar.

No me falló. Tan pronto le envié la obra, junto con una carta de pésame, a la Universidad de Illinois, Ruth M. Lewis me respondió reconociendo el compromiso y prometiéndome revisar con toda atención la adaptación teatral. Cuando a mediados de 1971 viajó a México, Estela me acompañó durante la larga entrevista que sostuve con ella.

Ruth había leído la pieza y traía enlistadas sus objeciones. Algunas me parecieron absurdas. Me pedía suprimir, en una escena del segundo acto, gran parte de la conversación entre Roberto y su mediohermana Antonia, para evitar las referencias a una relación incestuosa. El libro la establecía, por supuesto —de ahí la había tomado yo—, pero Ruth consideraba que en el teatro esa alusión resultaría fortísima y dañaría ahora a los personajes verdaderos. También consideraba que el tra-

143

tamiento del padre Jesús Sánchez era inadecuado. Yo parecía exculparlo, enfatizaba demasiado su abnegación, y la figura resultante deformaba la realidad de un hombre tiránico, cruel con sus hijos. Me sugirió otras muchas supresiones, enmiendas, todas ellas tendientes a dar mayor significación a la obra en sus aspectos sociales, ambientales, laborales. Se hacía preciso, dijo Ruth, imprimir a la pieza el mensaje antropológico que contenía el estudio original y no dejarla como la simple pintura descarnada de una familia. Que se entendiera bien el mensaje: el drama de *Los hijos de Sánchez* era la consecuencia fatal del mal ambiente, de la mala educación, de la falta de trabajo, de la ignorancia, de la opresión. . .

No compartía los puntos de vista de Ruth M. Lewis. Me parecían dislocadas sus observaciones sobre la urgencia de explicitar el mensaje, y muy extravagantes por escrupulosas —romperían el ritmo teatral— la mayoría de las pequeñas enmiendas que apuntaba para un sinfín de escenas. Tuve que aceptarlas todas, y prometer la elaboración de una segunda versión al gusto de Ruth, porque de ello dependía la autorización de mi pieza.

—De acuerdo.

Ruth se mostró encantada con mi docilidad, tanto que aseguró que una vez corregida esa adaptación teatral iba a quedar mucho mejor que el guión cinematográfico mandado hacer por aquel actor importantísimo de quien me habló Oscar Lewis en nuestro último encuentro.

—¿Quién es? —me atreví a preguntar.

Y Ruth reveló el secreto, tranquilamente:

—Anthony Quinn.

La viuda del antropólogo repitió la historia como si yo no la conociera. Por una considerable suma de dinero Anthony Quinn había comprado los derechos cinematográficos de *Los hijos de Sánchez* poniendo como condición, para que nada interfiriera el buen éxito de la película, que no se presentara jamás en ningún teatro del mundo, excepción hecha de México, la adaptación teatral del libro antropológico de Oscar Lewis. Ahora Anthony Quinn —contó Ruth— tenía muchos problemas. El primero estaba relacionado con el guión. Había mandado hacer varias versiones y todas ellas resultaron muy deficientes en opinión de la viuda del antropólogo: mantenían, junto con sus errores, el trazo general y muchas escenas del viejo guión de Zavattini. Ruth no daba aún su autorización y Anthony Quinn andaba muy preocupado. No obstante, la preocupación principal del actor importantísimo se debía al recelo, a la desconfianza con que el gobierno mexicano continuaba contemplando la filmación en México de *Los hijos de Sánchez*. El nuevo régimen de Luis Echeverría se iniciaba con un espíritu más liberal, pero a pesar de ello no concedía a Anthony Quinn la debida autorización.

Tal vez mi obra, una vez corregida —concluyó Ruth— ayudara al actor importantísimo a resolver su doble problema. Por una parte podría servirle de base para un nuevo guión, y por la otra Anthony Quinn estaría seguramente dispuesto —como parte de una estrategia encaminada a obtener del gobierno mexicano el permiso para la película— a presentarse en un teatro de México haciendo el Jesús Sánchez de mi obra durante una breve temporada.

Me sonreí. Ciertamente era factible la posibilidad de convertir mi adaptación teatral en un guión de cine, pero lo segundo me pareció un disparate de Ruth. ¿Anthony Quinn en un teatro de México? Imposible. Ni el actor se esforzaría a tal grado por el público nacional, ni habría teatro con localidades suficientes para albergar al sinfín de espectadores que acudirían a verlo. Se necesitaría contar con el Palacio de Bellas Artes, con el Auditorio Nacional, y a qué precio las localidades. Imposible.

—Con tal de filmar *Los hijos de Sánchez*, Anthony Quinn es capaz de todo —dijo Ruth—. A fin de año vendrá a México para hablar con Rodolfo Echeverría. Yo espero verlo antes y le recomendaré su adaptación.

Tardé un par de semanas en escribir el segundo tratamiento obedeciendo, hasta donde pude, las indicaciones de Ruth. Resultó más breve y más blando. No me satisfizo.

Envié una copia a la Universidad de Illinois y Ruth lo aprobó de inmediato.

A pocos días de que recibí la autorización de la viuda del

145

antropólogo, un desconocido que dijo llamarse Manolo Metra-lla* me telefoneó a la revista *Claudia*. Era un entrañable amigo de Anthony Quinn, dijo; cuatacho de la infancia, compañero de juventud. Conocía al actor desde antes de su fama, y el actor le seguía dispensando el viejo afecto de los años de estrecheces económicas y de sueños. Con el tiempo, mientras Anthony Quinn se hizo actor, Manolo trató de convertirse en torero desdoblando capotes y flameando muletas en placitas provincianas. Nunca alcanzó el triunfo. Ahora su único orgullo era el de ser amigo de Anthony Quinn. Más que amigo: era su consejero fiel en cuestiones artísticas. Por Anthony Quinn supo Manolo de mi adaptación teatral de *Los hijos de Sánchez*, y de Anthony Quinn recibió la orden de hacerle llegar el libreto. Si yo se lo enviaba esa tarde, Manolo lo pondría mañana mismo en manos del actor: volaba al día siguiente a los Ángeles.

Como esa tarde yo tenía un compromiso inaplazable, Ignacio Solares, quien trabajaba conmigo en la revista *Claudia*, se ofreció generosamente a llevar una copia de mi texto a la casa de Manolo Metralla. Vivía por el rumbo de Fray Servando Teresa de Mier en un cuartucho infecto —contó Solares—, tapizado de carteles y objetos taurinos: capotes, monteras, banderillas, estoques.

—Para ser consejero de Anthony Quinn está muy fregado —dijo Solares—. Vive casi en la miseria. Se ve que Anthony Quinn no lo ayuda para nada.

Apenas regresó de Los Ángeles, Manolo Metralla me telefoneó. Había puesto en manos de Anthony Quinn mi libreto junto con todo género de recomendaciones.

—Y para Anthony mi opinión cuenta mucho —aseguró Manolo—. A mí me da a leer casi todos los guiones de las películas que le ofrecen y yo le doy mi parecer: ésta sí te conviene, ésta no, ésta tampoco. Desde luego le dije que su adaptación de *Los hijos de Sánchez* era buenísima y que de ahí saldría fácilmente la película. Me puso mucha atención, se interesó de veras. Estoy

---

* Manolo Metralla es un nombre supuesto. Olvidé con el tiempo el verdadero nombre del desconocido.

seguro de que me hará caso. Anthony va a venir muy pronto a México y lo va a buscar a usted, esté pendiente.

No volví a escuchar la voz de Manolo Metralla. Anthony Quinn llegó a México a fines de 1971 y se le recibió como a todo un personaje: noticias, entrevistas en los diarios, presentación especial en el programa *Veinticuatro horas* de Zabludowsky. Venía a negociar con Rodolfo Echeverría la autorización para que se filmara en México *Los hijos de Sánchez*, lo cual determinaba, como una estrategia, el tono y el sentido de sus declaraciones públicas. Aunque él se había formado como actor en el cine norteamericano —decía y repetía durante las entrevistas— su verdadero origen, su verdadero modo de pensar, de sentir, era el de cualquier compatriota nuestro. No en balde había nacido en suelo mexicano, no en balde su segundo apellido era Oaxaca, no en balde su tipo de indio yaqui lo acompañaba a dondequiera. Le gustaban las tortillas, los tacos de nopalitos, el chile, el pulque. Era un mexicano hasta las cachas, no un extranjero, el que pretendía filmar *Los hijos de Sánchez* precisamente porque le interesaban los problemas de nuestro pueblo y porque la película, sobre todo, contenía un mensaje de esperanza para quienes han nacido, como él había nacido, en la cultura de la pobreza.

Anthony Quinn se hospedó en una suite del hotel Presidente, y desde su arribo a la ciudad traté de comunicarme con él. Lo llamaba todos los días, pero un secretario o una secretaria frenaban siempre las llamadas cuando las llamadas lograban ir más allá del conmutador del hotel. Explicaba mil veces mi asunto, repetía mi nombre, trataba de hacer entender a los empleados que era al propio señor Quinn a quien interesaba hablar conmigo sobre la adaptación de *Los hijos de Sánchez*, señorita, Ruth Lewis trató el asunto con el señor Quinn y el señor Quinn dijo que hablaría conmigo cuando llegara a México, señor, no hablo nada más por molestar, que me mande decir en todo caso que no está interesado en mi adaptación para ya no insistir, señorita, pásele por favor mi recado, gracias.

—Le daré su recado.

—Hable más tarde.

—Hable mañana.

Al fin la voz femenina me dio una cita:

—Venga mañana al hotel.

Llegué puntual pero no pasé más allá del lobby. En la mesa de recepción me comunicaron con la suite. La misma voz femenina:

—Míster Quinn está dormido, espere un momento.

Y al rato:

—Míster Quinn está tratando un asunto muy urgente con unas personas. Tenga la amabilidad de esperar.

Mi paciencia se agotó a la media hora:

—Quiero saber si el señor Quinn va a recibirme, señorita. Tengo cuarenta y cinco minutos esperando aquí abajo.

—¿Cuál es su asunto?, ¿podría explicarme?

Conté una vez más la historia de mi adaptación teatral mezclando los nombres de Ruth Lewis y Manolo Metralla.

—Un segundo, por favor.

Ronca, potente, la voz de Anthony Quinn sonó por el auricular. Se oía malhumorado y no mostraba la menor intención de verme cara a cara.

Sí, Ruth Lewis le había hablado de mi adaptación. Sí, había recibido el libreto y lo había leído. No le interesaba. Mi tratamiento no daba suficiente importancia a Jesús Sánchez. Él tenía una idea muy distinta de lo que debería ser la película. ¿Me entiende usted? Punto.

Quinn colgó de golpe sin darme tiempo a que le mintiera un gracias. Yo también colgué y me fui del hotel Presidente. Tuve que esperar ocho años pero al fin me sentí vengado cuando vi en el cine Insurgentes *Los hijos de Sánchez* con Anthony Quinn, Dolores del Río, Ignacio López Tarso, etcétera.

Desbaratados los castillos en el aire construidos con dólares y difusión internacional, me dediqué por entero a hacer compañía a Ignacio Retes en los preparativos de la puesta en escena de mi adaptación.

Era marzo de 1972. Ya teníamos el visto bueno de Ruth M. Lewis para que Retes dirigiera la obra. Ya teníamos la promesa de Francisco Villarreal de participar como productor asociado en el montaje. Ya teníamos apalabrados a Aarón Hernán, Salvador Sánchez, Pilar Pellicer, Begoña Palacios, para encabezar el reparto. Ahora faltaba conseguir un teatro. El mejor, por su categoría, por su tamaño, por las facilidades que ofrecía el Seguro Social era sin duda el Hidalgo.

Enfocamos pues el teatro Hidalgo.

El cambio de sexenio se llevó de la Subdirección Administrativa del IMSS a Ricardo García Sainz, y trajo a Griselda Álvarez a la Jefatura de Prestaciones Sociales, oficina encargada ahora de manejar las salas de la institución.

Para asesorarse en estas tareas específicas, Griselda Álvarez integró un consejo consultivo que estudiaba los proyectos de los solicitantes y nombró a Federico Mastache como titular responsable de los teatros.

Retes y yo empezamos visitando a Mastache.

Tenía muchas ganas de hacer mucho por el teatro mexicano el profesor Mastache. Era un joven rubio, cordial, sonriente, parlanchín, que admiraba a Retes por encima de todos los directores nacionales. Le brillaron los ojos y sonrió hasta arriba cuando Retes le habló del proyecto de presentar en el Hidalgo *Los hijos de Sánchez*.

—Extraordinaria idea, maestro, extraordinaria —ademaneó Mastache—. Nos cae de perlas porque ése es el tipo de teatro que queremos presentar en las salas del Seguro. Además, tienen ustedes suerte: el Hidalgo no está comprometido con nadie. Y aunque hubiera otras solicitudes le daríamos preferencia a *Los hijos de Sánchez*, desde luego. Hoy mismo hablo con doña Griselda, estoy seguro de que le encantará la idea, y en esta semana o en la próxima tendrán firmada la concesión.

—Qué fácil parece —dije a Retes cuando salimos de la oficina de Federico Mastache. Pero Retes andaba distraído mirando hacia la fuente de la Diana y no me contestó. Tal vez pensaba que era demasiado pronto para cantar victoria tratándose de una obra con un historial tan conflictivo y luego de haber vivido la experiencia de *El juicio*.

Regresamos dos semanas después con Federico Mastache. Estaba serio. Su sonrisa ya no subía hasta las patillas y él

149

esquivaba la mirada. Hablaba con solemnidad:

—Turné su solicitud a doña Griselda y ella la está examinando, maestro Retes. Parece que el teatro Hidalgo se hallaba
comprometido con anterioridad, cosa que yo no sabía, y van a
tener que esperar un poco.

—Dígame la verdad —exigió Retes.

—Ésa es la verdad.

—No es cierto.

—Será mejor que hablen con doña Griselda.

—¿No quieren darnos el Hidalgo porque se trata de *Los hijos
de Sánchez?*

—Hablen con doña Griselda, por favor —gimió Mastache.

Griselda Álvarez nos dio una cita y la aplazó. Nos dio otra y
la aplazó también. En la tercera cita nos hizo esperar una hora
en su antesala. Sin embargo, cuando Retes y yo entramos en su
despacho se veía tranquila y tan quitada de la pena como si nos
hubiese recibido de inmediato. Cordialísima, además.

La funcionaria empezó hablando de lo difícil que le resultaba
ahora, por las obligaciones de su cargo, combinar el ejercicio de
la poesía con el servicio público. Abordó después el tema de la
encíclica Melchor Ocampo en las ceremonias del matrimonio
civil, que era urgente modificar o suprimir de plano; hasta caer
por último en nuestra solicitud del Hidalgo para *Los hijos de
Sánchez.*

—Hacen muy bien en pensar en el Hidalgo —dijo Griselda
Álvarez—, es un teatro estupendo. Y parece que la adaptación
es muy buena también, según me dijo el profesor Mastache. Lo
que pasa es que hemos cambiado el sistema para ceder las salas,
por eso no les hemos dado una respuesta todavía, maestro
Retes. Como ustedes seguramente ya saben, ahora tenemos un
consejo consultivo que se encarga de analizar cuidadosamente
las obras y los proyectos antes de dar una respuesta a los
solicitantes. Es un procedimiento un poco más tardado, pero
mucho más seguro, mucho más serio, como debe ser. Ya nadie
puede decir que el Seguro concede sus salas arbitrariamente,
por influencias políticas o por simpatías personales. Ahora son
los miembros del consejo los que deciden si se da un teatro o se
niega, después de examinar los valores artísticos y sociales de

150

cada proyecto. Yo no intervengo para nada. Es el consejo el que tiene la última palabra y el que está examinando en este momento *Los hijos de Sánchez*. Tengan un poco de paciencia, maestro Retes. En unos cuantos días conocerán nuestra decisión. El consejo se reúne la semana próxima para tratar precisamente su solicitud, y entonces veremos.

Si de veras el consejo funcionaba tan seria, tan formalmente como aseguraba Griselda Álvarez, si de veras se comportaba al margen de prejuicios y de actitudes censoras, podíamos estar casi seguros —dije a Retes— de que terminarían cediéndonos el teatro Hidalgo. Entre los miembros de ese organismo consultivo se hallaban, además, personas de nuestra confianza: Carlos Solórzano, que era dramaturgo y cultísimo maestro de teatro; Guadalupe Dueñas, con quien yo tenía una larga amistad y a quien prodigaba una gran simpatía, y el crítico Luis Reyes de la Maza, quien a pesar de no haber estado siempre de acuerdo con los montajes de Retes y con mis obras, se había excedido otras veces en elogios y era, ante todo, un hombre de teatro íntegro.

—Votarán a favor de *Los hijos de Sánchez*, maestro. A fuerzas.

—Vamos a ver —dijo Retes.

Federico Mastache nos dio la noticia. Se veía tristón y fue escueto. Nuestra solicitud había sido rechazada por el consejo consultivo. Era una decisión definitiva.

—¿Qué razones adujeron? —preguntó Retes.

—Ninguna. Solamente dijeron no.

Fue inútil tratar de conseguir una segunda entrevista con Griselda Álvarez. Inútil averiguar las razones de la negativa con Carlos Solórzano, Guadalupe Dueñas, Luis Reyes de la Maza.

Enfurecí. Empezaba a trabajar entonces en *Revista de Revistas* y escribía artículos en las páginas editoriales de *Excélsior*. Abusando de mi espacio, dediqué mi artículo semanal a denunciar la actitud censora del IMSS en materia teatral por el rechazo a *Los hijos de Sánchez*. Lo titulé *El Seguro Social contra el teatro social* —Pedro Álvarez del Villar me recomendaba en broma que lo titulara *Los hijos de puta*— pero Miguel Ángel Granados Chapa, encargado de la sección editorial, suavizó la cabeza. En el artículo acusaba a Griselda Álvarez de sostener criterios reaccionarios contra *Los hijos de Sánchez* semejantes a los que en 1964 evidenció la Sociedad Mexicana de Geografía y Estadística; me burlaba de Federico Mastache por dejarse convertir en un títere de Griselda, y decía que Carlos Solórzano, Guadalupe Dueñas y Luis Reyes de la Maza habían renunciado a su libertad intelectual por el plato de lentejas de una chamba burocrática.

Por supuesto el artículo no tuvo la menor repercusión. Quedó como un simple desahogo, como un escupitajo contra los miembros del consejo consultivo, injusto tal vez porque seguramente, como era de creerse, toda la responsabilidad debía recaer en Griselda Álvarez o en algún otro funcionario mayor que le hubiere impuesto el rechazo. También se podía pensar de otra manera, al margen de sospechas censoras. Quizá Solórzano, Dueñas y Reyes de la Maza rechazaron la obra porque la consideraron torpe, malhecha, indigna del teatro Hidalgo. De cualquier modo no externaron jamás su posición y la breve historia del incidente terminó ahí.

Retes y yo nos olvidamos del Seguro Social y nos pusimos a buscar otro teatro.

Primero hablamos con el Pollo Jiménez para el Insurgentes. No había modo. Nos ofrecían una fecha muy lejana, y la elevada renta, más las alevosas condiciones con que planteaba el negocio la empresa dueña del teatro, lo hacían inabordable para una compañía que necesitaba costear la papeleta de casi treinta actores. Exigencias semejantes impuso Manolo Fábregas para el teatro Manolo Fábregas. Terminamos reculando hacia el Jorge Negrete.

En el Jorge Negrete empezaron los ensayos. Al grupo básico que ya formaban Aarón Hernán, Salvador Sánchez, Pilar Pellicer y Begoña Palacios, se agregaron Ernesto Gómez Cruz, Luis Miranda, María Rojo, Silvia Caos, Guadalupe Beristáin y muchos, muchos otros como personajes incidentales o simples comparsas. Hasta los hijos de la sirvienta de Lucila Retes entraron a formar parte del grupo actoral en el papel de nietos de Jesús Sánchez.

Allí también, en el Jorge Negrete, conocí al escenógrafo Alejandro Luna. Nada sabía hasta entonces de sus trabajos anteriores, pero sí que había realizado investigaciones escénicas en Praga y era un magnífico arquitecto. Llamado por Retes, Luna planeó un decorado ambicioso para *Los hijos de Sánchez* que dibujó en detallados y enormes planos, en dibujos y perspectivas que me parecían verdaderos cuadros de un artista. Llegaba al Jorge Negrete y sentado en la butaquería junto al director, Luna desplegaba sus rollos de papel albanene y se ponía a explicar los trazos de la estructura que sería necesario construir para sostener dos largas viguetas de fierro pesadísimas. Las viguetas cruzaban de extremo a extremo el escenario, elevadas a considerable altura del nivel del piso, y sobre ellas se ubicaban las áreas para ilustrar el cuartucho de un hotel de paso y otros ambientes. Abajo quedaría la vivienda de los Sánchez montada sobre rieles en una plataforma. Mediante un mecanismo, accionado con un motor, la vivienda se deslizaba desde el fondo del foro hasta el proscenio con un efecto parecido al de un zoom cinematográfico. Cuando el escenario necesitaba quedar libre para dar espacio al mercado, a una calle, entonces la plataforma se deslizaba hacia el fondo en un movimiento de zoom back, y luego, cuando llegaba una nueva escena en la vivienda de los Sánchez, la plataforma reaparecía en zoom in. Por desgracia el mecanismo accionado por un motor viejo no era perfecto, y los bruscos frenazos sacudían la plataforma y hacían perder el equilibrio a los actores.

Evidentemente el derroche escenográfico de Alejandro Luna estaba resultando costosísimo, lo cual preocupaba a Francisco Villarreal. Villarreal iba alarmado a quejarse con Retes, pero Retes se hacía el pensativo, el distraído, el ocupado con los problemas de los ensayos.

No, no marchaban bien los ensayos. Mi segunda versión había suprimido escenas, detalles, parlamentos importantes del libreto original. Eso, en opinión de Retes, entorpecía el ritmo de la obra y desdibujaba a los personajes. Me llamó para decírmelo.

—Lo sé, maestro Retes. Yo también prefiero la versión original pero los cambios fueron exigencias de Ruth.

—Ella qué sabe de teatro.

—Pero lo puso como condición.

—Vamos olvidándonos de sus exigencias y déjeme incluir de nuevo todo lo que me haga falta de su primer tratamiento. Es el que sirve.

—Pero Ruth. . .

—Cuando Ruth vea la obra y proteste ya estará montada, ya no habrá remedio. Hasta le gustará más.

Retes hizo lo que pensaba. Mandó sacar copias de escenas y parlamentos de mi primera versión, suprimidos en la segunda, y de ese modo los libretos de los actores se llenaron de parches, de añadidos, de marcas manuscritas, que los convertían en verdaderos mapas sólo inteligibles para sus dueños. No tuve el cuidado de pasar en limpio la versión definitiva de *Los hijos de Sánchez*, tal como finalmente se montó, y me quedé sin un solo libreto de la puesta en escena de Ignacio Retes. Sobrevivieron por ahí algunas copias de la segunda versión, con añadidos parciales, pero el texto que yo terminé considerando concluyente se perdió sin remedio.

Pequeñas noticias en los diarios, textos aislados en las páginas de espectáculos, empezaron a mencionar los ensayos de la obra. Y como si tales noticias fueran un panal de miel, cayeron sobre Retes toda suerte de tipos más o menos extraños: hombres con aspecto de operarios, mujeres con aire de vendedoras del mercado. Llegaban ocasionalmente al teatro y pedían hablar con el director. Unos presumían ser amigos o parientes de los protagonistas reales de la historia de Lewis; otros se plantaban como personajes importantísimos del estudio a quienes el antropólogo había ocultado luego detrás de un seudónimo. Los menos acudían por simple curiosidad; la mayoría trataba de sacar algún dinero con ingenuos chantajes o a cambio de un trabajo en la puesta en escena.

Trabajo exigía, justamente, un hombre que dijo ser marido de Consuelo Sánchez. Su oficio regular era el de ebanista, pero había tenido que dejarlo porque el tíner le afectaba los pulmones. Andaba desempleado. Quería una chamba. Como marido de Consuelo se sentía con derecho a conseguirla ahí, ¿qué no?

—¿Una chamba de qué? —le preguntó Retes.

—De lo que sea.

—No hay chambas de lo que sea.

—De actor, de tramoyista, de ésos que se encargan de prender las luces o abrir el telón.

—Todos los técnicos deben pertenecer por fuerza al sindicato de la Federación Teatral.

Pero el tipo era necio. Insistía. También era muy bueno para la guitarra, dijo. Podía salir en una escenita de la obra cantando una canción ranchera.

A duras penas se deshizo Retes del supuesto marido de Consuelo, y con trabajos se quitó de encima la nube de curiosos e impertinentes. No lo dejaban ensayar tranquilo. Lo ponían de mal humor. De mal humor llegaba Retes a los ensayos ante la extrañeza de Aarón Hernán, de Salvador Sánchez, de Silvia Caos, acostumbrados al trato suave, comedido, siempre tranquilo del director. ¿Qué le pasa ahora?, se preguntaban entre ellos. Nadie sabía la causa. Yo sí.

La Oficina de Espectáculos empezaba a hacerse la remolona con la autorización de *Los hijos de Sánchez* y traía a la vuelta y vuelta a Ignacio Retes. Nos prometían la autorización para una fecha, y llegada la fecha fijaban otro plazo que luego aplazaban y prolongaban con toda clase de pretextos: se traspapeló el expediente, se enfermó el supervisor, falta una firma: lo de siempre. Desde luego no hablaban de prohibición, todo lo hacían recaer en simples fallas de ineficiencia burocrática, pero Retes y yo conocíamos de sobra el estilo de la Oficina de Espectáculos: aquello olía claramente a una amenaza de censura.

Después de nuestra experiencia con *El juicio* nos hubiera resultado relativamente fácil enfrentarnos de nuevo con Luis del Toro Calero; sin embargo, Del Toro Calero acababa de ser removido de la jefatura de Espectáculos y en su lugar había entrado Mario Alvírez. De no ser que era hermano de un subalterno de las plazas de toros, el Güero Alvírez, nada sabíamos de don Mario. Ni siquiera conocíamos su aspecto físico porque el funcionario se negaba a recibirnos. La autorización de *Los hijos de Sánchez* estaba en trámite y él nada tenía que explicar. Simplemente nos recomendaba paciencia.

Ante tal actitud, mientras Retes se veía obligado a iniciar una campaña de denuncias en la prensa calcada de la que precedió

155

al montaje de *El juicio*, yo aproveché una invitación de Henrique González Casanova, director eventual de *La cultura en México*, suplemento de *Siempre*. González Casanova me solicitó una colaboración para el suplemento y le envié mi adaptación de *Los hijos de Sánchez*. Publicó el primer acto. Pensé que eso serviría para ventilar públicamente la obra y anticipar nuestra defensa contra la censura, pero sirvió en todo caso para que al poco tiempo de publicado el fragmento Peter Shepherd de la agencia literaria Harold Ober Associates de Nueva York, encargada de manejar los derechos autorales de Oscar Lewis, me enviara una carta tronante. En tono majadero Shepherd me recordaba que los derechos de la adaptación me pertenecían sólo en un cincuenta por ciento —de acuerdo a mi contrato con Ruth— y me acusaba de pretender enriquecerme a costillas de su cliente. Le respondí a Shepherd enviándole un giro bancario por el equivalente en dólares de ciento cincuenta pesos: el cincuenta por ciento de los trescientos pesos que me había pagado *Siempre* por la colaboración.

También aprovechamos la invitación de Bellas Artes para una lectura en la sala Manuel M. Ponce. Como yo estaba de viaje, Ignacio Retes acudió en mi nombre y en mi nombre leyó un fragmento de la versión teatral. Al término de la lectura —según me contó Retes después— Margarita Urueta armó un pequeño escándalo acusándome de plagiario. Aseguró que yo había apoyado mi versión en un tratamiento de *Los hijos de Sánchez* escrito por ella años atrás. Desde luego nunca pudo demostrarlo.

Seguramente estos hechos, más las denuncias en la prensa contra la Oficina de Espectáculos por el congelamiento inexplicable de la autorización, movieron a Mario Alvírez a concedernos por fin una entrevista.

La Oficina de Espectáculos se había trasladado de la Plaza del Carmen a la estación Juanacatlán del Metro. En el nuevo edificio tenía Mario Alvírez su despacho. Era un hombre enjuto, carilargo, que me hizo pensar, quién sabe por qué, en un fanático del dominó.

Alvírez levantó las cejas, extendió los brazos abriendo las manos:

—Pues sí señores. La verdad es que tenemos problemas para concederles la autorización.

Retes no dio tiempo a que el jefe de Espectáculos explicara los problemas. Rápido, acometivo, manejando hábilmente argumentaciones bien aprendidas, hizo ver a Alvírez lo peligroso que podía ser para él, como funcionario público, prohibir la representación de *Los hijos de Sánchez*. El libro de Lewis tenía un gran crédito internacional. Había sufrido mil pruebas, mil atentados, y había salido siempre victorioso frente a sus detractores. Que recordara Alvírez en qué paró la absurda denuncia de la Sociedad Mexicana de Geografía y Estadística. Que hiciera memoria de cómo reaccionó la opinión pública, los intelectuales, finalmente el gobierno. Prohibir la versión teatral era resucitar el escándalo y dar pie para que se tachara al jefe de Espectáculos de inquisidor anacrónico. El futuro político de Alvírez estaba en juego. Allá él si se atrevía con una prohibición.

—No me han entendido —dijo Alvírez—. No me han entendido —repitió—. Los problemas que tenemos con la obra no son de tipo social, ni político. El señor Oscar Lewis y ustedes pueden tener una visión catastrófica del país, que yo no comparto, pero al fin de cuentas están en su derecho, son libres de pensar y de opinar como quieran.

—*Los hijos de Sánchez* es un estudio antropológico, científico, no es una novela.

—Yo lo sé, claro, conozco muy bien el libro. Sin embargo tomen en cuenta que es un estudio hecho hace diez años. Las cosas han cambiado mucho de entonces para acá. El país ha progresado. Ya no se ve esa pobreza que describe el señor Lewis. La gente vive mejor. Han desaparecido esas vecindades. Se ha abatido mucho el desempleo. Hay más educación, más atención médica, más trabajo, más optimismo. Les podría dar mil ejemplos, pero en fin, ustedes saben, ése no es el verdadero problema.

El jefe de Espectáculos se interrumpió de golpe. Giró la cabeza. Por la puerta de una oficina contigua apareció una enfermera de uniforme:

—Es la hora de su inyección —dijo.

Mario Alvírez se puso de pie y salió rumbo a la oficina contigua antes que la enfermera. No tardó más de cinco minutos. Regresó poniéndose el saco y frotándose el antebrazo:

—El verdadero problema, lo que preocupa a esta oficina encargada de cuidar la calidad de los espectáculos, es que la obra es una obra obscena, tremendamente grosera.

—Es realista —dijo Retes.

—Yo sé que es realista, pero el realismo no tiene por qué caer en las exageraciones. No hay ninguna necesidad de que se digan tantísimas palabrotas. A mí no me asustan. Lo que pasa es que en un teatro se oyen mal, molestan, demeritan a la misma obra, créanme.

—En *Los albañiles* era igual y la Oficina de Espectáculos la aprobó. No pasó nada.

—No es que vaya a pasar nada. Lo que yo digo es que no hay necesidad de insultar al público.

—¿El problema para la autorización de la obra son las malas palabras? —pregunté.

—Es uno de los principales.

—Yo aceptaría quitar algunas —dije.

—Son muchísimas. Tendría que ser la mitad.

—Las que usted diga, señor Alvírez.

—Bueno, existe otro punto. Hay por· ahí, creo que en el segundo acto, o en el tercero, o en los dos, a cada rato, unas escenas verdaderamente insoportables, obscenas en grado máximo. Tampoco puede ser. De veras no puede ser. Yo me pregunto: ¿qué necesidad hay de presentar con esa crudeza el erotismo? ¿Cuál es la razón? Casi casi estamos viendo un acto sexual. ¿Para qué? ¿Qué sentido tiene?

—No no, señor Alvírez, por favor. —Retes se echó a reír como si le hubieran contado un chiste—. En ese punto, permítame decirle, está equivocado. Una cosa es el texto literario y otra muy distinta la puesta en escena. Hay momentos en que el escritor siente la necesidad de subrayar una situación, de exagerarla digamos en sus acotaciones, para sugerir la fuerza con que debe ser representada. Para sugerirla, señor Alvírez, no para describirla. . . ¿No es así, Vicente?

—Así es, maestro Retes.

158

—Pero eso es en el texto, como una simple acotación. El montaje es otra cosa muy distinta y ahí es donde yo entro. Las escenas eróticas son muy fuertes, de acuerdo. Inevitables, además, porque de otro modo estaríamos haciendo Caperucita Roja. Pero con todo y que son fuertes yo las he trabajado con muchísima delicadeza. No tiene por qué preocuparse en absoluto, señor Alvírez. He puesto el mayor de los cuidados para que la obra no caiga en ningún momento, ninguno ninguno, en la pornografía.

—¿Me lo garantiza, señor Retes?

—Se lo garantizo categóricamente. El supervisor que usted envíe podrá confirmarlo en el ensayo general.

—Me gustaría ir yo mismo a supervisar la obra.

—Nosotros estaríamos encantados.

El jefe de la Oficina de Espectáculos juntó las palmas, como si fuera a ponerse en oración, y chasqueó los labios.

—¿Contamos entonces con la autorización? —preguntó Retes.

—Con los cambios.

—Con los cambios, señor Alvírez.

—A reserva de que pueda ser ratificada o rectificada en el ensayo general.

Pese a las advertencias de Mario Alvírez y a nuestras promesas, de manera semejante a lo que ocurrió para el ensayo general de *Los albañiles*, Retes no dictó modificación alguna a sus actores ni yo suprimí una sola palabrota del texto original. Cuando el jefe de Espectáculos llegó puntual a aquella función de preestreno, de la que dependía oficialmente la temporada de *Los hijos de Sánchez*, el director se sacó de la manga una carta que constituía un rotundo éxito político y la esgrimió ante Alvírez:

—Le tenemos una gran noticia, señor Alvírez —dijo Retes al recibirlo—, Rodolfo Echeverría aceptó ser nuestro invitado de honor, mañana en el estreno.

Era cierto. Apenas unas horas antes, esa misma tarde, Retes y Aarón Hernán habían logrado comunicarse con el hermano del Presidente y mandamás de los espectáculos en México; lo invitaron al estreno y él aceptó formalmente con una prontitud que los dejó sorprendidos.

La mención de Rodolfo Echeverría no pasó desapercibida a Mario Alvírez. Simuló una gran sonrisa y fue a sentarse en una butaca de la cuarta fila. Me pidió que viera a su lado la función.

Corrió el ensayo general de *Los hijos de Sánchez*.

Al terminar el primer acto me dijo Alvírez:

—Se oyen muchas palabrotas.

—Y eso que quité la mitad.

—Sí ¿verdad?... ¿Lo ve?, yo tenía razón. En el teatro, ya con los actores, se agrandan mucho las groserías. Si no hubiera limpiado su obra esto parecería un espectáculo de carpa.

Al terminar el segundo acto:

—Es pornográfica esa escena en el hotel de paso, qué barbaridad. Resultó peor que en el texto.

—Lo que pasa es que el maestro Retes no ha ajustado todavía las luces. Ya mañana en el estreno las mide bien y la escena se va a ver en penumbras, apenas sugerida.

—Pero tiene que verse en penumbras, eh; yo diría que en la oscuridad.

—Así se va a ver, don Mario, no hay problema.

Al terminar el tercer acto repitió sus recomendaciones:

—Ojalá pudiera limpiar más los parlamentos; que no se oigan tantas palabrotas. Y por favor dígale al maestro Retes de las escenas eróticas. Que baje la luz, no se le olvide; que baje mucho la luz.

Alvírez no habló con Retes y se fue del teatro francamente molesto. Pero firmó la autorización.

La presencia de Rodolfo Echeverría en el estreno de *Los hijos de Sánchez* convocó a figuras de fama de la llamada familia artística y a no pocos políticos. Fue ante todo el mejor aval para defender a la obra de posibles ataques censores. Nada ni nadie podría sacarla ya del teatro por la fuerza.

Aquel viernes veintiuno de julio de 1972 decidí romper mi pasada costumbre de no presenciar los estrenos de mis obras, y acompañando a Estela en el segundo piso del Jorge Negrete vi la primera función de *Los hijos de Sánchez*. Era un buen trabajo. La puesta en escena rendía un homenaje al realismo del teatro mexicano —el realismo de *El cuadrante de la soledad* de José Revueltas, el realismo de *Los signos del zodiaco* de Sergio Magaña— y presentaba sin concesiones un mural de historias y acontecimientos. Sin embargo, mi adaptación tenía una falla que hasta ese instante se me hizo evidente. En mi empeño por aprovechar todos los sucesos significativos ocurridos a los Sánchez en el curso de sus vidas, de acuerdo con las grabaciones de Lewis, yo había acumulado tal cantidad de incidentes que los dramas de Manuel, de Consuelo, de Roberto, de Marta, parecían, vividos a tiempo completo por sus protagonistas. La obra era una cuerda tensada de principio a fin, sin contrapuntos ni respiros.

En esa tensión, en el "descarnado dramatismo" vieron algunos críticos el principal mérito de la adaptación teatral de *Los hijos de Sánchez*. Para otros era sólo un melodrama, una colección de historias enlazadas mediante un abordaje costumbrista. Félix Cortés Camarillo escribió en *La cultura en México* de *Siempre*:

> Es un drama barato sobre una familia pobre. . . El autor no ha querido meterse a hacer del medio ambiente un personaje, el antagonista principal de todos los personajes dentro y fuera de la escena; se salió por la puerta de la facilidad y el melodrama.

Ruth M. Lewis llegó a México cuando la obra llevaba dos semanas de funciones con llenos frecuentes. Antes de hablar conmigo visitó, como era su costumbre cada vez que viajaba a la ciudad, a las diferentes familias en que se habían multiplicado los hijos de Sánchez de la realidad. Compartía con ellos reuniones, fiestas; escuchaba sus cuitas y los auxiliaba económica y moralmente. Pensando en ellos decidió repartirles su parte proporcional de las regalías por la puesta en escena de mi adaptación teatral. Por eso quería que el dinero no pasara por las manos de la agencia literaria que manejaba los libros de Lewis. Me pedía que yo se lo enviara directamente a ella, cada semana o cada quincena, a la Universidad de Illinois; más tarde, en otro de sus viajes, haría la distribución entre los Sánchez. Le preocupaban los Sánchez. Marta andaba mal. Roberto, peor: no duraba en los trabajos: lo corrían, lo acusaban de robos; seguía siendo un problema el incorregible Negro.

161

Manuel, en cambio, pasaba por una buena racha. Por cierto, Manuel y Roberto acababan de contar a Ruth que habían asistido a una función de *Los hijos de Sánchez* y no salieron nada contentos. No se reconocieron en la obra. Se quejaron con Ruth de que en el teatro los habían puesto como un par de léperos y ellos no eran así de malhablados, qué va.

Desde luego Ruth Lewis quería ver la obra y me pidió que la acompañara a la función de esa noche.

Fui con Estela. Desde antes de pasar por Ruth al hotel Geneve me sentía intranquilo. No me importaba tanto la opinión teatral que pudiera formarse la viuda del antropólogo con la puesta en escena de Retes, como su reacción cuando se diera cuenta de que no habíamos respetado todos los cambios exigidos por ella. Qué tal si se molestaba. Qué tal si blandiendo su contrato conmigo o aduciendo un compromiso incumplido vetaba la obra y exigía que fuera retirada del teatro de inmediato. Se armaría un escándalo. Todos saldríamos perjudicados. Retes y yo no tendríamos forma de defendernos legalmente, quizá.

Ruth presenció con mucha atención la puesta en escena y no hizo comentarios hasta que finalizó el tercer acto. Fue parca y prudente, cortés. Estaba bien la obra en lo general pero quería saber por qué no se obedecieron las modificaciones que señaló. Yo le aduje razones de montaje, exigencias de ritmo escénico descubiertas durante los ensayos, y ella, aunque meneó de un lado a otro la cabeza, se dio por satisfecha con mi explicación. Era evidente: no, no le había gustado la puesta en escena de *Los hijos de Sánchez*, pero tampoco le había desagradado al extremo de hacer pública su inconformidad o enderezar una protesta.

Cuando al día siguiente concedió un par de entrevistas a la televisión y a los reporteros que la buscaban desde su arribo a México, la viuda del antropólogo se cuidó de hablar bien o mal de la obra. Prefirió desviar las preguntas y se curó en salud diciendo que ella entendía poco de cuestiones teatrales y que aquella versión escénica del trabajo de su marido era una interpretación legítima aunque muy personal del adaptador y del director Ignacio Retes.

Ruth Lewis se fue de México una semana después. Antes de volar a Urbana me recordó mi compromiso de enviarle perió-

dicamente sus regalías y me dijo que le había dado el teléfono
de mi oficina a Roberto Sánchez: me iría a ver, tal vez yo
pudiera ayudarlo a conseguir un trabajo.

Un mediodía, Roberto Sánchez se presentó en *Revista de
Revistas* de improviso. Vestía un pantalón café muy guango y
una vieja chamarra de fieltro. Era un hombre moreno pero no
tanto como lo imaginé leyendo el libro de Oscar Lewis. Mari
García lo dejó entrar en mi oficina y a mi primer pregunta se
soltó hablando y ya no hubo manera de frenarlo ese mediodía
ni después, cuando le dio por visitarme cada semana, cuando
me hablaba a mañana, tarde y noche a mi casa, cuando se
plantaba frente al escritorio para explicar cómo fue que lo
corrieron del taller mecánico acusado de un robo que no fue
un robo, yo se lo juro a usted. La traían conmigo los mecánicos
y los jefes de piso, y cuando el dueño del chévrolet llegó a
reclamar porque en la cajuelita de guantes ya no estaban los
anteojos que él dejó, todos me vieron con cara de haberme
robado esos anteojos, cosa falsa, la verdad, porque por otra
parte dígame usted qué taller de México o de cualquier parte
del mundo se responsabiliza por las cosas que dejan las gentes
en sus carros. Ningún taller, ¿verdad? Ninguno. Todos dicen a
sus clientes: no nos hacemos responsables por sus chivas, ¿a
poco no? Y ya si alguno pierde algo es culpa suya, no de un
mozo infeliz que eso era yo en el taller mecánico: un pobre
mozo encargado de los carros que llevan a servicio y al que por
eso mismo lo pueden culpar de cualquier pérdida sin que él
tenga modo de defenderse. A quién, a ver, podía yo recurrir si
todos estaban de acuerdo entre sí buscando a un chivo expiatorio para tapar sus movidas. Yo me di cuenta de eso desde el
primer día en que entré a trabajar. Yo vi con mis propios ojos
quién se rateó los lentes oscuros del dueño del chévrolet. Yo lo
vi, yo lo sé, pero a mí, claro, como no tenía modo de defen-
derme me agarraron de chivo expiatorio y acabaron corrién-
dome de la chamba. Ni modo, hasta fue mejor. Nunca me
gustó ese trabajo. Lo siento nada más por la señora Ruth
porque ella, tan buena como siempre, me consiguió la chamba
y la hice quedar mal, hasta se enojó conmigo cuando se lo dije;
tuve que decírselo, ni modo, y ella se enojó, claro, yo lo en-

tiendo, pero de veras no fue culpa mía. Usted dígale, ¿no?; a mí ya no me cree porque no son de creerse las cosas que me pasan. Tengo una suerte pésima. Como el otro día, caray, nomás déjeme contarle. Parece mentira. Voy y compro una máquina de escribir vieja, de oportunidad, con la idea de vendérsela a un cliente para ganarme unos centavos; me la llevo cargando a mi casa, chiflando muy feliz una canción, y a la vuelta de una barda, por allá por el canal del desagüe, que me salen unos tipos de repente, con cara de malosos, diciendo que eran agentes de la judicial y que andaban tras mis huesos. Así me gritaban los hijos de su chingada: que dizque me tenían fichado, que dizque yo era un ladrón porque a ver, me dijeron, ¿de quién es esa máquina de escribir? Te la apañaste, ¿verdad cabrón? No qué va, les digo, se la acabo de comprar a un cliente y se la voy a vender a un valedor que necesita con urgencia una máquina de escribir. No es cierto, me dicen, a ver a qué otro pendejo vas y le cuentas esa historia porque nosotros no nacimos ayer y menos nos gusta que un hijo de su tal por cual nos quiera ver la cara de pendejos. No, les digo, les estoy diciendo la pura verdad. Pues entonces a ver, ¿dónde está la factura? ¿Cuál factura? Cuál ha de ser, cabrón, la de esa máquina, ¿no sabes que no se pueden vender aparatos sin factura?, me dicen. Y que uno de ellos me empieza a jalonear la máquina y me la arranca, mientras los otros me entran derecho a las patadas y a las amenazas. Que aquí en lo oscuro —porque ya empezaba a oscurecer— te damos una madriza y luego te echamos al canal; ni quien vaya a enterarse, cabrón, me dicen; ni quien vaya a reclamar luego tu cadáver: mejor no te resistas y jálale para la delegación. ¿Cuál delegación? Esto es cosa de la delegación y te vamos a entambar si no te pones a mano con la máquina y nos pasas aparte una feria por el tiempo que ya perdimos contigo. No, pues no, les digo, cómo que me van a quitar la máquina si yo la compré con mi dinero en forma muy legal. Entonces dónde está la factura. No, pues no hay factura, les digo. Y ahí comienza la alegata y la golpiza. Para no hacerle el cuento más largo me dieron de madrazos y me quitaron la máquina, claro, y me robaron todo el dinero que traía: una poca de lana para pagar una deuda y ahora sí que para los gastos del diario, hágame favor. Eso fue apenas ayer, y como usted comprenderá me dejaron con una mano por delante y otra por detrás, además de muy amenazado porque esos fulanos me conocen y no me van a dejar en paz mientras yo no me vaya a vivir a otra parte donde agarre una chamba en la que de veras pueda trabajar a gusto.

—Está bien, está bien.

A duras penas lograba yo frenar la verborrea de Roberto Sánchez. Había asumido en serio su papel de personaje antropológico, vivía engolosinado con sus aventuras y se sentía obligado a contárselas al primero que se le pusiera enfrente. Hablar parecía su único oficio. Lo aprendió ante la grabadora de Oscar Lewis y después de diez años continuaba ejercitándolo como un maestro. Desde luego ahora ya no existía un doctor Lewis que registrara sus historias y le pagara luego el importe de cada sesión, pero aquí o allá aparecía un escucha como yo susceptible de ser atrapado por la labia del hijo de Sánchez y resignado a pagar el precio de cada discurso. Roberto sabía cobrarse de manera indirecta. Primero soltaba su perorata, luego trazaba un drama de su desempleo y de su apremiante situación económica, y el escucha, para poner punto final al discurso, terminaba extrayendo su cartera y entregándole un par de billetes.

Siempre que Roberto Sánchez entró en mi oficina de *Revista de Revistas* salió de ella con dinero y con mi promesa de encontrarle una chamba. Nunca le conseguí trabajo pero no pareció importarle: ya tenía uno, el mejor: hablar imparablemente.

Gracias a Mari García me libré de él. Mari me negaba por teléfono y lo detenía a fuerza de mentiras apenas lo veía aparecer en el cuarto piso de Reforma doce: No está. Acaba de salir. Regresará muy tarde.

El que no regresó fue Roberto Sánchez. Tal vez se cansó de tanto viaje. Tal vez encontró otro cliente.

En octubre de 1972 *Los hijos de Sánchez* llegó a las cien representaciones, y el domingo cinco de noviembre, en la función número ciento treinta y cinco, dimos por concluida la temporada. Pensé luego en editar la obra en Joaquín Mortiz, reescribiendo una versión definitiva, pero yo no quise entrar en súplicas y jaloneos con su agente literario. Sólo Louis E. Roberts, jefe del Departamento de Teatro de la Universidad de Massachusetts, se interesó por mi adaptación teatral. Le entregué una copia, la tradujo al inglés y la montó en forma experimental con sus estudiantes universitarios.

En 1977 Ignacio Retes repuso en la carpa México *Los hijos de Sánchez* pero yo no asistí a las representaciones.

LA MUDANZA (1979)

De 1971 a 1975 padecí una larga sequía literaria que trataba de achacar, para justificarme, a mi absorbente trabajo en *Revista de Revistas*. De no ser *Redil de ovejas*, una novela que rescaté de un ambicioso proyecto narrativo como quien salva residuos de un barco en un naufragio, sólo escribí artículos y reportajes para *Revista de Revistas* y *Excélsior* y algunos guiones cinematográficos. Desde luego hice intentos de novelas y obras de teatro, pero todo quedó en cuartillas borroneadas destinadas al cesto de la basura. Me dolía reconocer que hasta ese momento ninguna de mis seis piezas dramáticas derivaba de una idea original pensada estrictamente para la escena. Tres eran adaptaciones de novelas mías y de un libro antropológico, y las tres restantes se inspiraban en acontecimientos históricos. Ninguna provenía de mi pura imaginación. Mi imaginación, la maldita loca de la casa, estaba dormida, seca, vacía. Eso me preocupaba, me hacía sentir inconforme. Para creer en mí como dramaturgo me era urgente escribir una pieza en la que nada estuviera dado de antemano. Realizar lo que consideraba un acto genuino de creación: llenar con ideas absolutamente propias, exclusivas, las páginas en blanco de lo que no existe.

Un acontecimiento doméstico, a principios de 1975, me dio una pista para salir del atorón.

Con objeto de remodelar la casa que habitábamos en San Pedro de los Pinos, propiedad de mi madre, mi familia y yo nos cambiamos a un departamento alquilado en la avenida Patriotismo. Justo el día de la mudanza se me impuso una visión escénica. La estancia vacía del departamento de Patriotismo se convirtió de pronto en el escenario de un teatro al comenzar la función. A ese escenario huero iría llegando paulatina, imparablemente, al ritmo de la acción de los cargadores, el arsenal de muebles, cajas, cuadros, objetos, utensilios, bolsas, paquetes, que pueblan toda vida doméstica. La sola tarea de la mudanza, el paso del vacío a la saturación constituía de suyo, por sí mismo, una acción eminentemente dramática, impresionante, teatral. Imaginé la estancia atiborrada y vi cómo aquel mundo de objetos terminaba sepultando de manera inclemente a sus habitantes esclavos. El trazo de una posible obra me pareció perfecto. Ya tenía una estructura dramática de principio a fin; ahora sólo necesitaba un argumento que le otorgara sustancia.

Fue más sencillo dar con el tema. En el ambiente de la clase media, la crisis de la pareja —galopante como una epidemia— me dictaba a diario un sinfín de ejemplos de matrimonios en descomposición. No transcurría un mes, quizá no transcurría una semana sin que Estela y yo nos enterásemos de una pareja de amigos o parientes que había decidido romper el vínculo conyugal. Los matrimonios deshechos era un tema de todos los días; un tema por tanto natural y muy adecuado para llenar de contenido mi visión escénica.

Estructura y argumento me parecían bien, pero no me daban una respuesta suficiente porque yo quería evitar la simple pintura realista de un drama clasemediero. Quería además dar otro paso en mi carrera de dramaturgo: conectar los principios del realismo con otras formas más libres, derivarlo hacia un teatro metafórico, simbólico, tal vez expresionista. Así surgieron, tras la masticación y remasticación de mis ideas, los personajes Miserables de *La mudanza*. Los imaginé como los fantasmas con que Julio Castillo resolvió su montaje de *El príncipe de Homburgo*, como los monstruos de Fernando Arrabal, como los schmurz de Boris Vian en *Los forjadores del imperio*, como los espantajos del mundo esperpéntico que proponía Valle Inclán. La alucinante aparición de esos Miserables desde el interior del baúl cortaría de golpe el exacerbado costumbrismo de la primera parte de la obra e instalaría una atmósfera teatral totalmente distinta. En el combate escénico entre dos géneros de literatura dramática se podría ilustrar asimismo, sin hacerla demasiado evidente, la inevitable lucha de clases: el lumpen contra la clase media.

Quizás elaboré en exceso mis ideas, tal vez fui sobradamente cerebral en la planeación de la obra, pero sólo así logré sentarme a la máquina con decisión.

En la mesa del comedor del departamento de Patriotismo no me era fácil escribir. Por eso opté por utilizar el consultorio que Estela rentaba en un edificio de Barranca del Muerto para su trabajo psicoanalítico. Un sábado me encerré en él de las nueve de la mañana a las diez de la noche, y de una sola sentada escribí el primer borrador de *La mudanza*.

Antes de elaborar sucesivos tratamientos de la obra aguardé nuestro regreso a la casa remodelada por Josefa Saissó, buena amiga de la familia y genial arquitecta. La segunda mudanza, de Patriotismo a San Pedro de los Pinos, me sirvió para espiar el comportamiento de los cargadores y cronometrar los tiempos que les ocupaban sus tareas. En los primeros meses de 1976, en el estudio de la nueva casa, escribí dos tratamientos más.

Hasta ese momento Ignacio Retes había dirigido todas mis piezas teatrales a excepción de *Compañero*. Su gran comprensión y respeto por mi trabajo, aunado al hecho de que juntos habíamos enfrentado las numerosas peripecias de los anteriores montajes, me llevaba a pensar en él como en el único director posible de cualquier nuevo escrito. Algunos amigos me recomendaban una renovación: probar suerte con otros directores que con una visión distinta a la de Retes imprimieran a mis obras giros originales y a mí me abrieran caminos creativos más amplios. Contemplé de momento esa posibilidad pero no me sentí realmente motivado para cambiar de rumbo. Si Retes y yo nos entendíamos bien, si formábamos una buena pareja director-autor, si él parecía satisfecho conmigo y siempre animoso para dirigir mis piezas, resultaba inútilmente riesgoso, y hasta traicionero, salir en busca de otra persona.

Llevé pues mi versión definitiva de *La mudanza* a Ignacio Retes.

El director me respondió como acostumbraba: generoso en la apreciación de la obra y dispuesto a emprender "mañana mismo" las primeras gestiones para encontrar el modo de montarla: un productor, financiamiento, un teatro.

No lo acompañé esta vez en todos sus recorridos aunque juntos tratamos de conseguir la concesión de una nueva sala en Insurgentes sur, en el edificio que antes ocupara el centro infantil de diversiones Mundo Feliz, y donde entonces empezaban a funcionar el pequeño teatro y algunas salas cinematográficas: Alex Phillips, Dolores del Río, Madrid. . . El local tenía un cupo aproximado de doscientos espectadores. Su foro y su butaquería movible permitían convertirlo, al gusto del director, en un teatro círculo, en un teatro arena o incluso en un teatro frontal. Lo bautizaron con el nombre de Enrique Rambal y sus dueños integraban una sociedad encabezada por Fernando Larrañaga y Jaime Fernández. Tanto Jaime Fernández como Larrañaga prometieron a Retes formar empresa con él y montar *La mudanza* apenas Julio Castillo concluyera su breve temporada con *El pájaro azul*. Salió *El pájaro azul* del Enrique Rambal, pero Fernández y Larrañaga no cumplieron su promesa. En realidad querían cambiar de giro a la sala. Habían empezado con obras de teatro serio, y convencidos por los malos resultados económicos de que el teatro serio los llevaría a la ruina, decidieron dedicar la sala a comedias vodevilescas. Así lo hicieron. En lugar de *La mudanza* montaron un par de vodeviles, y otro par después, y con todo acabaron quebrando estrepitosamente. Entonces clausuraron para siempre el Enrique Rambal.

Retes emprendió por su cuenta nuevas gestiones. Trató de apalabrarse con el productor José Hernández y me informó que buscaría la posibilidad de conseguir el Polyforum Siqueiros o algún teatro de la Unidad Cultural del Bosque. Sólo le dieron largas.

Mientras Retes soportaba aquellos aplazamientos e investigaba no sé qué otra sala, yo pensé en intentar la concesión del teatro Xola o de cualquiera de los locales del Seguro Social. Desde luego ya habíamos pensado antes en los teatros del IMSS. Eran como siempre los mejores, los más ambicionados. Sin embargo Griselda Álvarez seguía ocupando la Jefatura de Prestaciones Sociales, y Retes y yo estábamos convencidos de que la funcionaria no olvidaba nuestro duro enfrentamiento de hacía tres años por causa de *Los hijos de Sánchez*; no olvidaba nuestras denuncias, nuestros ataques en la prensa, nuestros exabruptos. Jamás nos cedería un teatro del Seguro. Al menos nos faltaba entereza para ir a su oficina a averiguarlo.

Pero si no teníamos valor para enfrentar personalmente a Griselda, yo podía por otro camino, pensé, procurar la obtención del Xola, del Reforma, al menos del Independencia. La idea consistía en apelar a Jesús Reyes Heroles, quien a raíz de la designación de José López Portillo como candidato a la

172

presidencia había sido removido de su cargo como presidente del PRI y trasladado —cruelmente, se decía en los medios políticos— a la dirección del Instituto Mexicano del Seguro Social. Todo era entonces cuestión de convencer a Reyes Heroles de la importancia de montar en el Xola *La mudanza*, para que una vez convencido, él, como superior de Griselda Álvarez, le ordenara cedernos el teatro que quisiéramos.

No era una operación fácil, pero se podía intentar, pensé. Sabía que Reyes Heroles era un buen aficionado al teatro, había visto alguna de mis obras, y sostenía sobre todo una magnífica relación con el director general de *Excélsior*, Julio Scherer García, mi jefe.

Hablé detalladamente a Julio del asunto y le pedí que me recomendara con Reyes Heroles. Para el director de *Excélsior* darme una simple recomendación —yo pensaba en un recado manuscrito en una tarjeta— era un favor demasiado pequeño. Julio mismo consiguió la cita con el director del IMSS y se ofreció a acompañarme seguro de que su intervención personal daría por resultado una respuesta afirmativa.

En el automóvil del director de *Excélsior*, que dejó malestacionado en la penúltima glorieta del Paseo de la Reforma, llegamos a las oficinas generales del Seguro. Julio me prendió del antebrazo izquierdo y cruzando pasillos y oficinas, saludante, me llevó hasta el despacho principal. Ni siquiera hicimos antesala. Directo entramos en el enorme salón donde el escritorio del funcionario parecía un barco naufragante. Detrás de él se hallaba Jesús Reyes Heroles.

El saludo efusivo fue para Julio. A mí me tendió apenas su mano blanda, como descoyuntada, y me quitó la vista para siempre. El director del Seguro parecía ansioso por comentar con el director de *Excélsior* las telarañas que se tejían en los subterráneos de la política mexicana, durante la agonía del régimen. Con su despido del PRI, Reyes Heroles había sufrido del Señor un golpe a los bajos, pero estaba dispuesto a mantenerse de pie en el ring de la política de ahí a que sonara la campana dando fin al sexenio:

—Lo importante es conservarse vivo donde sea en lo que se le acaba el tiempo a nuestro amigo.

173

Reyes Heroles no citaba a Luis Echeverría por su nombre. Lo llamaba el Señor, Nuestro Amigo, o se limitaba a echar la mano hacia atrás para señalar la fotografía del presidente que colgaba de un muro de su despacho. Su cuerpo en diagonal, siempre en dirección a Julio, aproximaba su cháchara proferida en voz muy baja como si temiera el espionaje de posibles micrófonos ocultos o quisiera rehuir la indiscreción de mi presencia. Solamente él y Julio dialogaban, identificados de momento por similares situaciones de conflicto con Luis Echeverría. Eran fines de mayo de 1976 y empezaban a sentirse los primeros embates contra *Excélsior*.

—Mientras el barco esté navegando —metaforizó Reyes Heroles— usted puede luchar contra lo que venga: la tempestad, un barco más grande, una flota, torpedos. Lo grave no es que le envíen un enemigo poderoso sino que le quiten el mar. Ahí se acaba todo porque contra eso no hay defensa.

En aquel instante no comprendí bien la metáfora, porque sabía muy poco de los ataques iniciales contra *Excélsior*, pero Reyes Heroles hablaba como un profeta. Para hundir a *Excélsior* Luis Echeverría no necesitó enviar una flota poderosa: se limitó a quitar el mar a Julio Scherer García.

El director del Seguro Social se puso en pie sorpresivamente, dando a entender que no podía dedicarnos más tiempo, y Julio tuvo que cederme en forma precipitada la palabra y ayudarme luego a explicar a Reyes Heroles el favor que le pedía: el teatro Xola para *La mudanza*.

—Usted puede hacerlo, licenciado —dijo Julio—. Basta con que le de una orden a Griselda Álvarez.

—Ni me lo pidan. ¿No acabo de decirle que sólo estoy aquí de paso?

—No puede negarle ese favor a Vicente —insistió Julio.

—Lea la obra, licenciado —dije. Y le entregué una copia de *La mudanza*.

Ni siquiera miró Reyes Heroles el libreto.

—Aunque fuera la mejor obra del mundo jamás le diría una palabra a Griselda. Yo no quiero meter las manos en nada.

—Licenciado, por favor —protestó Julio.

—No.

—Lea la obra.

—No.

El golpe a *Excélsior* en julio de 1976, más la fundación de *Proceso* en noviembre de ese mismo año, me mantuvieron ocupado y me hicieron olvidar casi por completo mi obra teatral. También Retes pareció olvidarla luego de continuos tropiezos en su empeño por conseguir una sala y el financiamiento necesario. Dejamos de vernos, de telefonearnos. Todo pareció terminar ahí.

Con la esperanza de que otro director tuviera de momento mejores contactos empresariales y financieros que Retes y emprendiera con nuevos bríos las gestiones de *La mudanza*, decidí a finales del año romper la mancuerna por esta vez. Busqué a Rafael López Miarnau y le entregué mi obra. López Miarnau la leyó de inmediato y casi de inmediato me dio una respuesta afirmativa. La llevaría a escena con su esposa Emma Teresa Armendáriz en el papel de Sara tan pronto encontrara un teatro. El mejor le parecía el Polyforum Siqueiros cuyos empresarios, parientes de don Manuel Suárez, el dueño del Hotel de México, mantenían magníficas relaciones con él. Pensaba que no habría ningún problema para estrenar ahí *La mudanza* a mediado de 1977. Me mantendría informado.

Si en los sexenios de Gustavo Díaz Ordaz y de Luis Echeverría resultaba ya difícil para cualquier empresa independiente conseguir una sala para montar una obra en forma profesional, esta dificultad se volvió más extrema al comenzar el régimen de José López Portillo. Los cinco buenos teatros del Seguro Social (Hidalgo, Xola, Reforma, Independencia, Tepeyac) a los que antes podían optar las empresas independientes, dejaron de estar a disposición de particulares y pasaron a formar parte de Teatro de la Nación, una empresa oficial de la Dirección General de Radio, Televisión y Cinematografía, que entró a dirigir Margarita López Portillo. También en la Unidad Cultural del Bosque se limitaron las opciones. Ni el Teatro de la Danza —que antes se prestaba eventualmente a montajes teatrales—, ni el Orientación, ni el Del Bosque quedaron accesibles a particulares. Fuera del ámbito oficial, otros teatros privados y de sindicatos acabaron perdiendo por completo su categoría de salas serias, y absorbidos por empresas monopólicas como la de Ramón Bugarini o la de Alfredo Varela se destinaron exclusivamente a comedias vodevilescas. Así, en el sexenio de José López Portillo, hacer en forma profesional e independiente teatro serio se tornó una tarea poco menos que imposible. Para conseguir buenas salas como El Granero o el Polyforum Siqueiros, los profesionales necesitaban hacer cola en listas interminables que aplazaban hasta dos años el estreno de un proyecto. Sólo el Estado o las instituciones universitarias se permitían ese privilegio. El Estado a través de la Compañía Nacional de Teatro y Teatro de la Nación, regidos por la política cultural de sus directivos, y la Universidad Nacional Autónoma de México a través de su Departamento de Teatro que hasta entonces casi nada quería saber de la dramaturgia nacional.

Por eso, cuando López Miarnau me aseguró que conseguiría el· Polyforum Siqueiros para *La mudanza*, sentí que estaba a punto de sacarme la lotería. A punto nada más, porque la confirmación de los dueños del Polyforum se retardaba semanas y semanas.

Por aquellos días Julio Scherer sostuvo una conversación con Margarita López Portillo, y la directora de RTC me mandó decir con él que le gustaría escuchar mis opiniones sobre las urgencias del teatro mexicano. Acepté ir a verla, desde luego; aquélla era una excelente oportunidad para abrir otra puerta a *La mudanza* en Teatro de la Nación.

Mi relación previa con Margarita López Portillo era superficial y se remontaba a 1964 o 1965 cuando ella trabajaba a las órdenes de Mario Moya Palencia como supervisora de televisión de la Dirección de Cinematografía y yo escribía telenovelas para el Canal 2 de Telesistema Mexicano. En los últimos capítulos de una de aquellas series me excedí en truculencias: un hombre malvado y loco, interpretado por Ernesto Alonso, arrojaba a su madre paralítica a un barranco empujando de un envión su silla de ruedas. Cuando el capítulo se remitió a la Dirección de Cinematografía para su aprobación, la oficina puso el grito en el cielo y enviaron a Margarita:

—Esa escena no puede ser.

—No ¿verdad?

176

—Imposible.

La solución fue sencilla. Convertí al hombre malvado y loco en pariente lejanísimo de la anciana y dejé en la ambigüedad la caída al barranco: no se sabía bien a bien si se trataba de un asesinato o de un accidente. Margarita quedó satisfecha con la enmienda y con otras pequeñas correcciones que me pidió hacer ateniéndose a la reglamentación vigente. Eran estrictos. En televisión no se permitía que se aludiera a un personaje como "ciego" o "tullido"; se le debía decir "enfermo" o, a lo más, "impedido". Tampoco se podía decir "cáncer"; se debía decir: "enfermedad incurable". Desde luego no se toleraban las groserías, y cuando no quedaba más remedio que usar palabras como "imbécil" o "estúpido", se debían escribir en el libreto sin admiraciones y con una acotación indispensable: "en tono bajo".

Taché, modifiqué, reescribí todo lo que me pidieron y Margarita dio el visto bueno a los capítulos. Para agradecer tan buena voluntad y tener de su parte a la supervisora en futuros problemas de censura, Ernesto Alonso, que era director y productor de casi todas las telenovelas del Canal 2, me pidió que explicara yo a Margarita algunos de los principios básicos de la técnica televisiva: ella estaba interesada en incursionar en el género. Margarita y yo nos reunimos por única vez en el Sanborns de la calle Aguascalientes y le hablé y le hablé someramente del asunto. Siempre supuse que mis indicaciones le sirvieron de muy poco porque no llegó a escribir una sola telenovela.

En diez años casi nada supe de ella. Volví a verla el día en que me invitó a su oficina, convertida en hermana del presidente de la República y directora de Radio, Televisión y Cinematografía. Era la primera autoridad del país en el renglón oficial de los espectáculos.

La plática se inició en un tono muy cordial. Estaba presente Guadalupe Dueñas, su brazo derecho, y luego se incorporó Fausto Vega, el mejor de sus consejeros de entonces. Margarita se sentía feliz. Feliz y sobre todo orgullosa de haber encontrado la forma de aprovechar convenientemente los teatros del Seguro Social creando Teatro de la Nación y poniendo de direc-

177

tor de la empresa a un hombre tan preparado, tan inteligente, como Carlos Solórzano. De él fue la gran idea de destinar el Hidalgo para el teatro clásico y universal, el Xola (después se llamaría Julio Prieto) al teatro mexicano, el Reforma al teatro latinoamericano y el Independencia al teatro de búsqueda.

—¿Qué le parece el plan?

—Como plan es magnífico —respondí—. Pero los resultados dependerán de las obras que se elijan.

—¿No le parece bien que hayamos puesto *Corona de sombras?*

Nada tenía contra la mejor de las Coronas de Usigli ni nada, tampoco, contra *El pequeño caso de Jorge Lívido*, de Magaña, que se montó después en el Xola. Pensaba, sin embargo, que una empresa oficial de los vuelos de Teatro de la Nación no podía iniciar sus funciones ni encauzar su trayectoria limitándose a reponer obras, así fueran las mejores de nuestro largo historial. Si de veras Teatro de la Nación, como afirmaba Margarita, quería reconocer e impulsar la dramaturgia nacional, era preciso que se abocara al estreno de piezas mexicanas contemporáneas y corriera los riesgos de posibles fracasos. De muy poco iba a servir que se destinara una sala al teatro mexicano, si se empezaba con miedo, con recelo, con prevención ante las creaciones originales de nuestros autores. Teatro de la Nación estaba obligado a buscar obras, a generarlas y a montarlas después sin escatimar gastos y sin temor a las polémicas.

Eso pensaba yo y eso dije a Margarita mientras Fausto Vega se pellizcaba las pestañas y Guadalupe Dueñas tomaba notas en un block de taquigrafía.

Resultó inútil mi perorata.

—¿Sabe qué pasa? —me dijo la directora de RTC—. Así parece muy sencillo, pero la verdad es muy difícil escóger obras mexicanas. Casi todas son sórdidas, negativas, terribles. No hay alegría. No hay humor. Las obras mexicanas terminan siempre con desgracias y con muertes. A los autores no les interesa presentar las cosas positivas de la vida ni dar un mensaje optimista. Y eso es lo que de veras hace falta. Eso: un teatro que eleve el nivel de nuestro pueblo, un teatro que haga renacer la fe de los espectadores. ¿Por qué nada más lo negro? ¿Por qué?

178

Ante las razones de la máxima autoridad oficial en materia de espectáculos, y luego de mi perorata en favor de la dramaturgia nacional —inútil, por lo visto—, me faltó valor para hablar de mi obra. Hubiera parecido, pensé, que toda mi defensa del teatro mexicano se fincaba exclusivamente en un interés personal. Salí de la oficina de Margarita López Portillo decepcionado y sin haber pronunciado una sola palabra sobre *La mudanza*.

Mi decepción se agudizo cuando Rafael López Miarnau me dijo que la empresa del Polyforum Siqueiros había rechazado la obra por vulgar. López Miarnau no tenía posibilidades de conseguir otro teatro, y en tales circunstancias se veía en la obligación moral de renunciar a la puesta en escena para no causarme perjuicios. Ojalá yo encontrara otro director que dispusiera de un teatro. Me deseaba la mejor de las suertes.

Sergio Corona se interesó en *La mudanza*, pero sólo efímeramente. Busqué entonces a Julio Castillo.

—Yo la dirijo, maestro, encantadísimo —me dijo Julio en el Sanborns de San Ángel, apenas leyó la obra—. Encantadísimo, encantadísimo.

Me sentí obligado a confiarle mis miedos. Miedo a su exceso de imaginación. Miedo a que no se sujetara al trazo realista de la primera parte. Yo había concebido esa primera parte, le dije, como una comedia de costumbres que derivaba de pronto, con la aparición de los Miserables, en un caos escénico violentamente mágico, simbólico, irreal. Y era sólo en esa segunda parte, no en la primera, donde se necesitaba de toda la imaginación de Julio Castillo, de su repertorio de recursos, de sus locuras, de los arrebatos geniales con que dirigió *El príncipe de Homburgo*, de Kleist. En la segunda parte de *La mudanza*; únicamente en la segunda, no en la primera.

—Lo entiendo —dijo Julio Castillo.

—Es muy importante para mí.

—Lo entiendo. Yo la dirijo así como quieres.

—¿Cuándo?

—Nada más pongo *Atlántida*.

—¿Tienes teatro?

—Lo consigo, tú no te apures.

179

Julio Castillo montó *Atlántida*, de Oscar Villegas, en una carpa de la Plaza de las Vizcaínas. Dejó correr la temporada. No tuvo éxito. Cuando se enderezó del tropezón y pensó en llevar a escena mi obra, no encontró teatro y se olvidó del proyecto.

Llegó 1978 y *La mudanza* cumplió tres años de andar a la búsqueda de un montaje.

De pronto me telefoneó José Solé: me invitaba a comer en el restorán Del Lago.

Con el nombramiento de Juan José Bremer como titular del Instituto Nacional de Bellas Artes —al comenzar el sexenio de José López Portillo—, la Compañía Nacional de Teatro, fundada originalmente por Héctor Azar, había experimentado un impulso decisivo. Bremer nombró a José Solé como director de la CNT, y Solé trazó una organización y proyectó un plan de trabajo sumamente ambicioso. La Compañía empezó contratando de planta, en exclusiva, a un grupo de más de cincuenta actores, desde primeras figuras hasta comparsas. Con ellos, mediante sistemas rotativos, montaría cinco o seis obras cada temporada anual que serían representadas en dos salas: el teatro Del Bosque y el teatro Jiménez Rueda. Una de aquellas obras tendría que ser por fuerza una pieza de autor nacional. En la primer temporada, 1977-1978, el autor elegido fue, por supuesto, Juan Ruiz de Alarcón: *La verdad sospechosa*. Ahora, a principios de 1978, la Compañía Nacional de Teatro buscaba la obra mexicana para su temporada 1978-1979.

Acompañado por Carlos Ancira, uno de los actores puntales de la CNT y consejero de la empresa oficial, llegó José Solé al restorán Del Lago. Hablaba como desde el fondo de un pozo, víctima de una terrible afonía, me dijo, que los médicos no acababan de diagnosticar. Llevaba meses consultando especialistas, visitando clínicas, y tenía pensado viajar a Estados Unidos y a la URSS para someterse a un chequeo que determinara de una vez por todas la causa de su enfermedad. Para un director de teatro, la afonía era un impedimento terrible.

Carlos Ancira cortó de golpe la conversación médica. Él fue quien me dijo, con una naturalidad que no parecía sospechar lo importante, lo maravillosa que era para mí la noticia, que la

180

Compañía Nacional de Teatro había elegido *La mudanza* como la obra mexicana para su temporada 1978-1979. No me explicó, ni yo le pregunté, cómo había llegado la obra hasta sus manos. El hecho concreto y definitivo era ése. ¿De acuerdo?

Levanté mi copa de beaujolais:

—¡Salud!

José Solé agregó que habían pensado en Rafael López Miarnau para dirigir la obra, y en Adriana Roel y Miguel Córcega, actores de planta de la Compañía, para los papeles de Sara y Jorge, respectivamente. ¿De acuerdo?

Nada tenía que objetar a los tres nombres —me parecían magníficos—, pero aunque me hubiesen citado otros menos convincentes yo habría respondido lo mismo: de acuerdo, de acuerdo. Por encima de todo, lo importante era que *La mudanza* iba a convertirse por fin en una realidad escénica.

—¡Salud!

José Solé y Carlos Ancira se despidieron de mí en la entrada del restorán Del Lago prometiendo tenerme al tanto del inicio de los ensayos.

Transcurrió una semana, dos semanas, tres semanas. Transcurrió un mes. Transcurrieron dos meses, tres, cuatro. Se venía encima el fin de año y nada sabía de la puesta en escena de *La mudanza*. Herméticos los de la Compañía Nacional de Teatro.

Me telefoneó Solé a mi casa, un sábado en la mañana:

—¿No vas a salir? ¿Puedo ir a verte ahora mismo?

Llegó a los veinte minutos, cordial, gentil como siempre, aunque mucho más afónico. Le pregunté por su enfermedad y me sorprendió la entereza, el estoicismo con que me explicó lo que yo juzgué una tragedia. Los especialistas de México y del extranjero habían descubierto finalmente el origen de su afonía: un tumor que debería ser extirpado a la mayor brevedad. Perdería las cuerdas vocales, quedaría totalmente afónico y obligado a usar un vibrador manual o a aprender a hablar con la técnica de los ventrílocuos.

Me quedé estupefacto. Solé varió de inmediato el tema de la conversación como si rehuyera cualquier respuesta compasiva.

—Te traigo dos noticias —me dijo—. Una buena y una mala. ¿Cuál quieres oír primero?

—La mala.

Necesitaba acercarme a Solé lo más posible porque su afonía era en verdad severa. Pronto será absoluta, pensé, y él aquí, tan campante, tan valeroso.

La mala noticia consistía en que la CNT había decidido no montar *La mudanza*. El problema no era la obra —a todos les gustaba muchísimo, me dijo— sino el reparto. *La mudanza* necesitaba sólo cinco actores y una media docena de comparsas para los Cargadores y los Miserables, y la Compañía Nacional de Teatro se veía urgida de dar trabajo a todo su personal de planta. Solé me explicó que al integrar el reparto de las obras extranjeras para la temporada 1978-1979 muchos actores quedaron fuera, y a causa de eso, dadas las exigencias de la organización de la Compañía, necesitaban seleccionar una obra mexicana que planteara un reparto numeroso y ofreciera buenos papeles a los actores que habían quedado vacantes. En realidad ya habían encontrado la obra ideal: *El día que se soltaron los leones,* de Emilio Carballido.

La razón para eliminar *La mudanza* me pareció insólita; al menos nunca la hubiera imaginado. Uno de los principales problemas para el montaje de mis piezas anteriores siempre fue el contrario: su numeroso reparto que elevaba el costo de la producción, que complicaba la contratación de actores. Primera vez que escribía una obra con un reparto reducido, y era precisamente ese reparto reducido lo que obligaba a la Compañía Nacional de Teatro, según Solé, a rechazar *La mudanza*. La noticia no era mala: era pésima, terrible para mí. Sentí deseos de protestar, de darme por ofendido, por engañado, pero no pude menos que pensar en el hombre que tenía adelante. Con el diagnóstico de su tumor, José Solé había recibido una noticia infinitamente peor. Mi drama, comparado con el suyo, era insignificante.

—Ahora la buena noticia —dijo Solé.

Por acuerdo de Fernando Solana, secretario de Educación Pública, y de Juan José Bremer, la Compañía Nacional de Teatro había formulado un plan para impulsar la dramaturgia nacional consistente en encomendar a unos diez o doce escritores mexicanos la elaboración de otras tantas obras de teatro. No habría restricción alguna en cuanto al tema, la duración o el número de personajes. Es más: se sugería a los autores pensar en obras ambiciosas que requirieran de un reparto nutrido. Para garantizar el trabajo, Bellas Artes entregaría a cada escritor una estimable cantidad de dinero —cuyo monto se determinaría después—, al margen de sus derechos autorales. La CNT montaría las obras en sucesivas temporadas, a partir de 1980, es decir, dentro de dos años.

—Por supuesto tú serás uno de los dramaturgos seleccionados. Y la obra que escribas será de las primeras que montemos.

—¿Y *La mudanza*?

—No, *La mudanza* ya no, ya te dije. Puedes hacer con ella lo que quieras.

Podía hacer lo que quisiera con *La mudanza,* claro: quemarla, sepultarla en el fondo de un cajón, olvidarme definitivamente de ella. Podía también —como un último, desesperado recurso—, proponerla al Departamento de Teatro de la UNAM.

Jamás había pensado en llevar una obra de teatro a la UNAM. Mejor dicho: desde que tuve conciencia teatral, jamás vi que la Universidad, fueran quienes fueran los jefes de su Departamento de Teatro, pensara en la dramaturgia mexicana. El desprecio al autor nacional parecía una premisa de sus actividades. La UNAM vivía ocupadísima en el rescate del teatro clásico, en la divulgación de las nuevas formas del teatro europeo, en los experimentos de creación colectiva, en las búsquedas personales de los directores para quienes la obra importaba muy poco: era un simple pretexto en sus divagaciones escénicas. La única ocasión en que se acercó a mí un joven director universitario fue para pedirme, a nombre de Héctor Mendoza, una adaptación muy a la moderna, muy libre, me dijo —para hacer un experimento con mis actores, maestro— de *Brand,* el drama poético de Henrik Ibsen que por sus complicaciones escénicas tardó veinte años en ser estrenado en Estocolmo.

Pese a la mentalidad teatral universitaria, arrastrada por años como un lastre, fui a proponer *La mudanza* a Ludwik Margules, a quien acababan de nombrar jefe del Departamento de Teatro. De origen polaco, gratísima persona, Margules era un gran teórico y tenía fama de buen director. Había dirigido Shakespeare, había dirigido Sartre, había dirigido Chéjov, pero nunca se había atrevido con autores mexicanos. Tal vez ahora se anime, pensé.

Me sorprendió la rapidez con que Margules propuso el proyecto a Hugo Gutiérrez Vega, director de Difusión Cultural, y más me sorprendió la rapidez con que fue aprobado. La UNAM rompía al fin su cerrazón ancestral contra el teatro mexicano. Formularía un plan muy enjundioso para montar obras nacionales, del que mi pieza sería un primer avance. Desde luego no resultaba conveniente que Margules dirigiera *La mudanza,* me dijo el propio Margules. En su calidad de nuevo jefe del Departamento de Teatro se vería muy mal que él empezara sus funciones apropiándose de una obra. Había pensado, sin embargo, en un director de primera: Adam Guevara.

Yo sabía muy poco de Adam Guevara. Le conocía dos puestas en escena. Un montaje experimental y desafortunado de *El Cid,* y uno muy correcto de *Silencio, pollos pelones,* de Emilio Carballido.

No acababa de aceptar la propuesta de Guevara como director de *La mudanza,* cuando Ludwik Margules renunció sorpresivamente a la jefatura del Departamento de Teatro.

—La grilla interna es terrible —me dijo—, no se puede trabajar así. Pero tú no te preocupes: el proyecto de *La mudanza* está aprobado y no habrá marcha atrás con tu obra. Te lo garantizo.

Me lo garantizó también Hugo Gutiérrez Vega. Difusión Cultural mantenía, no faltaba más, la palabra de Ludwik Margules que había hecho suya el propio Gutiérrez Vega. El estreno de la obra estaba programado para mayo de 1979 en el llamado Arcos Caracol, el Teatro de la Universidad de avenida Chapultepec. Faltaban dos meses para mayo: Adam Guevara necesitaba darse prisa.

El mismo día en que Gutiérrez Vega me ratificó la noticia, Carlos Solórzano, director de Teatro de la Nación, me telefoneó a las oficinas de la revista *Proceso* para decirme en tono muy formal, muy solemne, que la empresa oficial fundada por Margarita López Portillo había elegido *La mudanza* como la

184

obra mexicana que le correspondía estrenar en 1979 en el teatro Xola.

—¿Hablas en serio? —pregunté a Solórzano.

—Totalmente en serio —respondió—. ¿Qué pasa?

La tentación era grande. Entre el Departamento de Teatro de la UNAM, envuelto en grillas internas, con presupuestos raquíticos, desorganizado, y el Teatro de la Nación, pujante, sin problemas económicos, con todo el apoyo gubernamental, parecía fácil optar por este último. Más, sabiendo que mi obra se montaría en el Xola, el Xola, el Xola: para Estela y para mí, el mejor teatro de México: el de los llenos con *Pueblo rechazado* y *Los albañiles,* el que añoraba siempre, el que envidiaba cada vez que me sentaba en una de sus butacas para ver cualquier obra. Dos meses antes no habría tenido ni que pensarlo: habría dicho sí a Solórzano con los ojos cerrados, fuere cual fuere el director, el reparto, las condiciones. Hoy me resultaba imposible aceptar. Me parecía indigno romper, ya con la puesta en escena programada para mayo, el compromiso con el Departamento de Teatro de la UNAM.

Expliqué la situación a Carlos Solórzano.

—Habla con Gutiérrez Vega —me dijo—. Plantéale que prefieres la propuesta del Teatro de la Nación. Díselo así nada más.

—No puedo.

—Haremos un gran montaje. Actores de primera, buena publicidad. Habla con Gutiérrez Vega, explícale.

—No puedo. No me atrevo... Sólo que tú se lo pidieras personalmente y él aceptara.

Carlos Solórzano no llegó a tanto y me borré de la cabeza, no sin esfuerzo, el teatro Xola, el teatro Xola, el teatro Xola.

Adam Guevara y yo nos reunimos en el Vips de Alabama para cambiar impresiones sobre la puesta en escena de *La mudanza.* El director no tenía dudas sobre la primera parte: se trataba de un manejo realista de la situación, sin más. Pero a partir del momento en que el Miserable Parlante salía del fondo del baúl, la obra se le desquiciaba por completo.

—Me gustaría saber qué quisiste decir con los Miserables —dijo.

—¿Tú qué piensas? —le pregunté.

Se daba cuenta del cambio de estilo: un salto del realismo costumbrista a un expresionismo ¿metafórico?, ¿simbólico?, ¿filosófico?, ¿onírico? Adam se inclinaba a pensar en un fenómeno onírico. Para él, los Miserables representaban los demonios de los protagonistas, la miseria humana oculta en el inconsciente de Jorge y de Sara.

No era la primera vez que oía una interpretación semejante. Dos años atrás, cuando leí mi obra en el taller de creación dramática que yo dirigía en el CADAC de Héctor Azar, Roberto Oropeza, Leonor Azcárate, Rafael Ramírez Heredia, dijeron que los Miserables parecían simbolizar el odio, la frustración y el deseo de venganza de la pareja en crisis.

—Eso son, ¿qué no? —dijo Adam Guevara—. Los demonios ocultos de Jorge y Sara.

—No.

—¿Entonces quiénes son?

—El lumpen. La miseria.

—La miseria humana.

—No. La miseria social. La pobreza pobreza. Los verdaderamente jodidos que en la repartición de bienes no alcanzaron la inteligencia, ni la palabra, ni siquiera la posibilidad de rebelarse. Por eso reaccionan por puro instinto con una violencia ciega. Para mí son una imagen del futuro de este país.

—No te entiendo —dijo Adam.

Me puse pedante:

—Es una metáfora. Mientras los matrimonios de la clase media viven emboletados en sus problemas domésticos sin enterarse de lo que sucede afuera, llegan ellos, los Miserables, los jodidos, se meten por el baúl de sus casas, por las ventanas, por los agujeros, por el caño, y terminan asesinándolos a tubazos antes de que nadie se dé cuenta. . . Tarde o temprano así va a pasar.

—¿Eso es lo que quieres que se diga en la puesta en escena?

—Para mí, eso es lo que dice la obra.

—Entonces es una obra reaccionaria —dijo Adam—. Es pesimista. Supone que no habrá un cambio social, una revolución de trabajadores.

—¿Y eso qué tiene de reaccionario?

186

—Imagínate. El público se identificará con Jorge y Sara, ¿no te parece? Entonces llegan los jodidos y los asesinan. Jorge y Sara, prototipos de la clase explotadora, se convierten en víctimas, y los jodidos, prototipos del lumpen, en viles criminales. Es una tesis reaccionaria.

—No lo creo, pero en todo caso ése es mi problema, y no me importa. Lo que importa es que la obra funcione escénicamente.

—Tal vez necesite hacer unos cambios —titubeó Adam.

—De acuerdo, siempre y cuando sean para resolver cuestiones del montaje, no porque la obra te parezca reaccionaria. Haz lo que quieras con tal de que Jorge y Sara terminen asesinados.

Adam Guevara se atuzó su bigote zapatista. Aplastó el cigarrillo.

—Déjame pensarlo. Voy a empezar a ensayar, y cuando llegue a la escena del baúl yo te aviso.

Adam Guevara llamó a Marta Aura, su exmujer, para el papel de Sara; a Sergio Jiménez para el papel de Jorge, a Verónica Lánger para Mari y a Eduardo López Rojas para el Cargador Jefe.

No era la primera vez que a Sergio Jiménez le proponían trabajar en una de mis obras. Era un actor excelente y yo mismo, en varias ocasiones, sugerí su nombre a Ignacio Retes cuando planeábamos los repartos: para el Jacinto de *Los albañiles,* para el Álex de *La carpa,* para el Roberto de *Los hijos de Sánchez.* Sergio decía siempre que sí e incluso alcanzaba a participar en las primeras lecturas. Sin embargo, antes de que Retes empezara a mover la puesta surgía un problema de sueldo o de horarios: llamaban al actor para una telenovela, le ofrecían una película o una obra extranjera menos complicada, más lucidora, y el actor ponía pies en polvorosa inventando cualquier pretexto.

Esta vez no sucedería nada de eso, prometió Sergio cuando me telefoneó para avisarme que había aceptado el Jorge de *La mudanza.* Estaba contentísimo. Era una obra chingoncísima.

—¿Ahora sí Sergio?

—Claro que sí. Te hablé para avisarte. Chingoncísima tu obra, maestro, chingoncísima.

Sergio Jiménez llegó a las primeras lecturas con Adam Guevara y con Marta Aura y allí mismo estallaron los problemas. Adam y Marta Aura no lograban entenderse, tenían roces. Los conflictos conyugales de la pareja de mi obra les hacían revivir sus propias diferencias anteriores por las cuales su matrimonio se fue al traste. Lo advirtió Sergio Jiménez y llamó aparte a Adam, para hablar con él como amigos:

—Tú no puedes dirigir a tu exmujer en una obra como ésta —le dijo Sergio—. Yo no tengo nada contra Marta, al contrario, es una actriz maravillosa, pero es tu exmujer, Adam, y la obra no trata más que de los pleitos de una pareja. Si ahora ya empezaron los estira y afloja entre ustedes, imagínate lo que será después.

—Eso es asunto mío. Yo soy el director.

—Te lo digo como amigos, Adam. Llama a otra actriz.

—Tú no te metas.

—Sí me meto porque yo también voy a salir perjudicado con sus broncas.

—Si no te parece, lárgate.

—Pues me largo.

Se hicieron de palabras. Se gritaron. Sergio Jiménez me telefoneó para contarme el incidente y explicarme —antes de que Adam Guevara me contara otra versión— las causas por las que se veía obligado a renunciar a su trabajo en *La mudanza*:

—Y no sabes cómo lo siento porque tu obra me parece chingoncísima, maestro, chingoncísima.

Al poco tiempo de que renunció Sergio Jiménez, renunció también Marta Aura y la obra se quedó sin protagonistas. Peor aún: se quedó sin productor. En las altas esferas de la UNAM continuaron las grillas políticas y Hugo Gutiérrez Vega dejó su puesto de director de Difusión Cultural.

Pensé que el proyecto se derrumbaría estrepitosamente, pero no fue así, por fortuna. En lugar de Gutiérrez Vega entró Gerardo Estrada y nombraron a Cuauhtémoc Zúñiga jefe del Departamento de Teatro. Mi antigua relación con Cuauhtémoc Zúñiga, a quien conocí como reportero de las revistas eróticas que dirigía Gustavo Sainz y a quien auguraba éxitos futuros como dramaturgo, facilitó que no se interrumpiera el proyecto de *La mudanza.* Adam Guevara eligió a Alejandro Luna como escenógrafo, y sustituyó a Marta Aura y a Sergio Jiménez con Mabel Martín y con Luis Rábago.

Tardé en reconocer a Luis Rábago. Lo había visto trabajar en *Los señores Macbeth* —una paráfrasis de Germán Castillo sobre la obra de Shakespeare— y en la puesta de Julio Castillo a *El príncipe de Homburgo,* pero ni entonces ni ahora, cuando lo encontré ensayando a las órdenes de Adam Guevara, recordé al reportero que a fines de 1971 se encargó de escribir, para el semanario *Vida capitalina,* la crónica de mi encuentro con la Madre Conchita y Carlos Castro Balda. El propio Luis Rábago tuvo que activar mi memoria y contarme cómo se había decidido a cambiar el periodismo por la actuación. Le iba mejor como actor que como reportero, eso era evidente. Estaba muy bien en los ensayos de *La mudanza.*

Desde que hablé con Adam Guevara en el Vips de Alabama, era la primera vez que asistía al teatro de la Universidad. No por desidia. Al director no le gustaba, me dijo, que el autor de la obra presenciara sus ensayos. Sabía que yo era poco entrometido, que no acostumbraba reclamar por la manera como se interpretaba una escena o como el director concebía a un personaje, pero de cualquier forma prefería mantenerme a distancia. Ya cuando los ensayos estuvieran más avanzados, a punto del estreno, entonces sí: él mismo se encargaría de avisarme para que presenciara su puesta en escena y le diera mi opinión. Aunque la actitud de Adam Guevara me parecía exageradamente celosa —Retes nunca me puso límites; consideraba natural, y hasta útil, que yo estuviera en los ensayos—, respeté su exigencia y no me paré en el Teatro de la Universidad hasta que el mismo Adam Guevara me llamó: tenía problemas con la escena del baúl y los Miserables y quería que yo intercambiara puntos de vista con él y los actores.

Ahí me encontré a Luis Rábago y a Alejandro Luna.

Ocupado en resolver escenográficamente *La mudanza* para crear en los espectadores la sensación de estar espiando el cuarto donde ocurre el drama, Luna no quiso participar en una discusión abierta sobre la escena de los Miserables. Aparte, con su discreción acostumbrada, me dijo simplemente que le pare-

189

cía una mala solución, una falla en la estructura de mi obra. Me aconsejó suprimirla. Y no dijo más.

Los que sí se explayaron en objeciones fueron Luis Rábago y Adam Guevara. Mabel Martín, Verónica Lánger y Eduardo López Rojas opinaban muy poco; parecían de acuerdo con sus compañeros, pero preferían escuchar mis razones sobre la segunda parte de *La mudanza*. Eran las mismas que expuse a Adam Guevara en el Vips de Alabama. No tenía otras. Ellos, en cambio, argumentaban convincentemente: el trazo de la puesta en escena de Adam, el tamaño del foro, el reparto, la misma concepción escenográfica de Luna, hacían punto menos que imposible el cambio de estilo propuesto. La presencia de media docena de Miserables sembraría el caos en el foro, echaría a perder el montaje.

—De acuerdo, que no aparezcan los Miserables —admití después de media hora de discusión—. Pero yo no puedo reescribir la obra.

—Sólo esa segunda parte —me dijo Luis Rábago.

—No puedo.

Adam Guevara tomó el problema en sus manos y prometió, una vez aceptada la supresión de los Miserables, encontrar una solución escénica al remate de la obra. Aún no tenía una idea precisa. Continuaría por el momento trabajando la parte realista y dejaría ese problemilla para el final de los ensayos.

—Nada más acuérdate de mi exigencia —le dije—: Jorge y Sara deben morir.

—Morirán —sentenció Adam Guevara, como si fuera Dios.

Quizá porque tuvo problemas durante los ensayos con Luis Rábago o porque advirtió el cúmulo de indecisiones que envolvían la puesta en escena de *La mudanza* —yo nunca supe el verdadero motivo, sólo escuché rumores—, el caso fue que Mabel Martín renunció al papel de Sara a la mitad del montaje. Es una actriz muy conflictiva, decían todos; nunca se sabe cómo va a reaccionar. Me pesó su retiro. Desde que la vi en la Kate de *Viejos tiempos* de Pinter, dirigida por Manuel Montoro, y en un breve papel de *Nada como el piso 16* de Maruxa Vilalta, la consideré una actriz magnífica y pensé que haría una Sara muy sobria, muy contenida, muy intensa. Por fortuna Adam Guevara llamó a María Rojo para sustituirla, y apenas inició sus ensayos María Rojo dio muestras de que haría una interpretación del personaje digna de un premio. Fue una sorpresa para mí. Ya en *Los hijos de Sánchez*, como la media hermana Antonia, apuntaba cualidades, pero nunca imaginé que llegaría a una soltura y a un manejo de parlamentos tan eficaz como el que logró en *La mudanza*.

Empecé a ir a los ensayos cuando vi que Adam Guevara se convenció de que yo no tenía intenciones de entrometerme en su puesta. De cualquier modo procuraba sentarme lejos del foro y no pronunciar palabra a menos que el propio Adam me pidiera un comentario. El que sí se entrometía era Alejandro Luna porque la acción de los Cargadores implicaba una coordinación con los objetos de su escenografía: muebles, aparatos, objetos, cajas. Se enojaba Luna cuando el director pretendía suprimir la entrada de la cabecera de la cama para aliviar la saturación del foro.

—Ya no cabe —protestaba Adam.

—Claro que cabe. Tiene que caber —insistía Luna. Y encontraba un lugar donde los Cargadores deberían colocar la estorbosa cabecera de la cama matrimonial: allí, en una esquina, recargada contra la pared en posición vertical. Luna no sólo encontraba sitio para la cabecera sino que traía más muebles y objetos: un restirador, las lámparas, las varillas para las cortinas, una lavadora. A toda costa se empeñaba en retacar el foro porque sólo así se daría la impresión de que los personajes terminaban sepultados en un mundo de objetos. —Y si los muebles y las cajas tapan por completo a María Rojo y a Rábago al final de la obra, mejor —decía Alejandro Luna—. Que se aguanten los actores y se aguante el público. De eso se trata, precisamente.

Adam Guevara terminaba aceptando todas las exigencias del escenógrafo. Ni hablar.

Carlos Chávez, Benjamín Islas, Roberto Columba y Facundo Prieto, quienes interpretaban a los Cargadores, quisieron pasarse de listos con Alejandro Luna. Para no esforzarse de a de veras con las cajas de la mudanza, las semivaciaron hasta dejarlas ligeritas, y las traían y las llevaban por el foro simulando nada más el peso. Volvió a enojarse el escenógrafo: —No, las cajas deben estar llenas de papel hasta reventar, deben pesar en serio. Esto es realismo. El esfuerzo no se finge. Que les cueste trabajo. Que se frieguen.

También lo aceptaba Adam Guevara. Luna tenía razón.

En los últimos ensayos, pocos días antes del estreno, el director encontró una solución para el final de la obra. Con un solo personaje fantasmal, interpretado por Raúl Bretón, sustituyó al ejército de Miserables y abrevió en una escena que duraba un par de minutos toda la segunda parte. El personaje fantasmal, presentado al principio como una premonición, reaparecía sorpresivamente al final y asesinaba a tubazos a la pareja sin pronunciar palabra. Cuando vi correr la obra en el ensayo general me satisfizo la solución de Guevara pese a su efectismo inevitable. No que me resignara a ella. Más bien debía agradecer al director ese cambio, porque si bien suprimía la experimentación formal y arrancaba de cuajo la metáfora sociológica dejando a la pieza en el puro realismo, la salvaba de los peligros de un caos escénico. Se hubiera necesitado otra concepción global muy diferente a la de Guevara, un montaje planteado desde el principio en otros términos, para resolver en la escena la segunda parte tal como la escribí en el texto original. Y con todo y eso, quién sabe.

Disfruté la función del estreno acompañado por Estela y mis tres hijas, mayores, aunque me sorprendió la hilaridad desbocada del público. Desde que elaboré la obra preví que algunas escenas moverían a risa, pero nunca supuse que los espectadores encontraran tantos motivos para reírse tanto. *La mudanza* no era una comedia, era un drama: por qué entonces las carcajadas, casi de principio a fin: ¿incomprensión?, ¿evasión?, ¿risa nerviosa?

Como casi siempre, sentí impenetrables a los críticos y a la gente de teatro que asistió al estreno. Se acercaban a saludarme obligadamente. Algunos eran parcos. Otros, falsos.

—Costumbrismo —me dijo Luis de Tavira.

—Costumbrismo, Luis —le dije.

El director Raúl Zermeño me felicitó con un abrazo, pero

luego mi hija Estela lo escuchó, en un corrillo aparte, hablando con decepción de la obra.

En la prensa abundaron las críticas elogiosas; algunas francamente entusiastas como la de Emilio Carballido, en la revista *Tiempo*, y otras que atemperaban la buena calificación poniendo objeciones al efectismo de la escena final. No faltaron los reseñistas exegéticos. Fernando de Ita, en el suplemento *Sábado*, creyó encontrar en la imagen del personaje fantasmal que asesina a tubazos a la pareja, una clara recurrencia del autor al crimen de don Jesús en *Los albañiles*. Ignoraba, por supuesto, que la idea era exclusiva de Adam Guevara.

Escasearon en 1979 los estrenos de obras nacionales y pocas compitieron con *La mudanza* por los premios de la crítica: *Las visitas* de Alejandro Aura, *La madrugada* de Juan Tovar y *La dama de las camelias* de Sergio Magaña. En una cena en el University Club recogí el diploma de La Asociación Mexicana de Críticos, y tuve que soportar en el Teatro del Bosque, con pena ajena, el ridículo show con que la Unión de Críticos y Cronistas de Teatro remedaba las entregas de los óscares al celebrar su ceremonia de premiación. Allí recogí un diploma por *La mudanza*. Ya no fui por un tercero, del semanario *El fígaro*, porque me pareció una distinción irrelevante.

Di por concluida mi experiencia con *La mudanza* publicando la obra en Joaquín Mortiz y permitiendo que José María Fernández Unsaín dirigiera una versión televisiva para el Canal 13. En ambas circunstancias se respetó el texto original. Pensé que la edición en forma de libro me permitiría confrontar opiniones críticas sobre la concepción escénica de Adam Guevara y mi concepción literaria, pero únicamente Marco Antonio Campos se tomó la molestia de reseñar el libro.

Escribió Marco Antonio Campos sobre el final de *La mudanza*:

> Creo que si Leñero hubiera omitido la escena de los "paracaidistas", la pieza hubiera sido redonda, excelente.

ALICIA, TAL VEZ (1980)

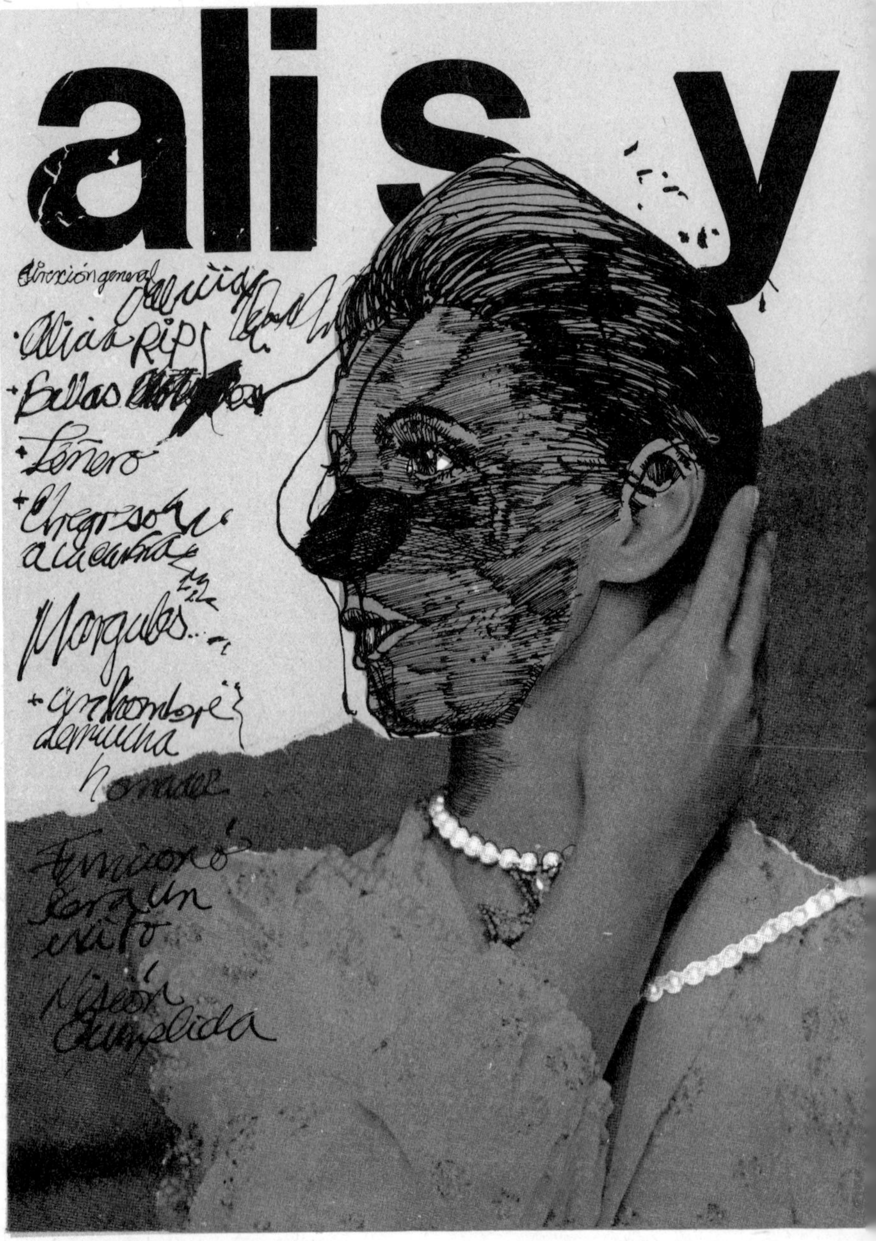
ali s y
Dirección general
Misión cumplida

El plan de la Compañía Nacional de Teatro del que me habló José Solé a fines de 1978 se dio a conocer en 1979. El Instituto Nacional de Bellas Artes publicó la lista de escritores a quienes se encomendaría escribir una obra de teatro para que la CNT la llevara a escena en alguna de sus temporadas. En la lista apareció mi nombre junto a dramaturgos mexicanos de fama y algunos otros escritores que nunca habían trabajado para el teatro. Estaban casi todos: Hugo Argüelles, Héctor Azar, Emilio Carballido, Salvador Elizondo, Carlos Fuentes, Juan García Ponce, Luisa Josefina Hernández, Jorge Ibargüengoitia, Sergio Magaña, Héctor Mendoza, Carlos Monsiváis, José Emilio Pacheco, Alejandro Rossi. Hubo algunas inconformidades y protestas, y más tarde se agregaron otros nombres: Luis G. Basurto, Willebaldo López, Felipe Santander, Rafael Solana, Maruxa Vilalta. . .

Juan José Bremer, director del INBA, me llamó a su oficina y firmé el contrato. Me comprometía a escribir la obra en un plazo máximo de un año. No se me fijaba tema ni se me ponía restricción alguna en cuanto al tratamiento y al número de personajes. En el momento mismo de firmar el contrato se me entregó un cheque por treinta mil pesos y se me entregarían cincuenta mil más cuando presentara la obra terminada. Los ochenta mil pesos eran una subvención de Bellas Artes, no un anticipo por derechos de autor. Yo recibiría aparte mis regalías cuando la Compañía Nacional de Teatro montara la obra. Si por una o por otra causa no llegaba a representarse en el lapso de tres años, yo tendría derecho a hacer con mi pieza lo que quisiera: montarla con otra compañía, publicarla o tirarla a la basura.

Hasta donde alcanzaba a recordar o a saber, en la historia del teatro mexicano contemporáneo no existía antecedente alguno de un comportamiento semejante por parte del Estado en favor de la dramaturgia nacional. Era la primera vez que un organismo del gobierno decidía subvencionar con tal cuantía a tal número de escritores del género. Al hacerlo, José Solé y la

Compañía Nacional de Teatro daban una clara muestra de su interés por salir al rescate de la rama creativa más descuidada de nuestra producción literaria. Parecían responder además, con hechos, no con simples palabras como hasta entonces, a las continuas denuncias y críticas contra las instituciones culturales del gobierno que solíamos formular numerosos representantes del ambiente teatral. El Instituto Nacional de Bellas Artes aceptaba los cargos y afrontaba acometivamente el reto. ¿Que el Estado no fomenta la dramaturgia mexicana? De acuerdo. Ahí está la subvención: todo mundo a escribir.

Fue por estas razones por las que en ningún momento dudé en acudir al llamado de la Compañía Nacional de Teatro y elaborar una obra subvencionado. Me parecía legítimo hacerlo. Incluso lo sentía como un derecho y como un deber que a nadie se le ocurriría impugnar jamás.

Dos años después, sin embargo, un estudiante jalisciense me echó en cara que yo también, como todos los intelectuales mexicanos, dijo, me hubiese dejado absorber por el sistema.

Invitado por los representantes en México de la editorial Seix Barral había acudido a Guadalajara a sostener una charla pública en ocasión de una feria del libro. Durante la charla hablé de todo, de mis experiencias teatrales y de mis novelas, respondí preguntas, y estaba a punto de dar por terminado el encuentro cuando un joven de cabello crespo alzó el brazo y en seguida se puso de pie:

—¿Por qué un autor como usted, que se dice independiente, aceptó escribir una obra de teatro subvencionado por el gobierno? —Dos o tres jóvenes que lo acompañaban menearon afirmativamente la cabeza como para apoyar a su compañero—. ¿En dónde quedan entonces sus convicciones, maestro?

Traté de hacerle ver que mi independencia intelectual no quedaba comprometida con ese tipo de participación, pero el joven no se mostró convencido.

—Eso no checa con todo lo que nos acaba de decir —dijo.

Fue inútil que ampliara mis razones. Ni el joven ni sus compañeros cambiaron su punto de vista. Yo tampoco el mío, pero el hecho me permitió caer en la cuenta de que en este país, donde se suele ver al gobierno como un enemigo, al menos como una entidad ilegítima, resulta imposible para un escritor aceptar un trabajo subvencionado sin provocar sospechas de coptación. A pesar de esas sospechas e impugnaciones de los jóvenes estudiantes de Guadalajara yo me sentía tranquilo. Tan tranquilo y tan contento como dos años antes, cuando firmé el contrato con el Instituto Nacional de Bellas Artes.

Jorge Ibargüengoitia me telefoneó. Quería saber lo que me habían ofrecido por la obra.

—Ochenta mil pesos. ¿A ti?

—Lo mismo.

—Lo que a todos —dije.

Ibargüengoitia tenía sus dudas, por eso me llamaba. Su mujer se había encontrado a la mujer de Salvador Elizondo y Paulina Lavista le dijo que a Salvador le ofrecieron cien mil pesos por el mismo trabajo.

—Parece que también a Monsiváis le van a dar cien mil —dijo Ibargüengoitia.

—No puede ser. No hay derecho.

—Eso es lo que yo digo: no hay derecho —repeló Ibargüengoitia—. Porque si van a establecer categorías y a unos escritores los van a tratar como a privilegiados, yo no le entro.

—Hay que averiguar.

Nunca averigüé, ni supe si Ibargüengoitia lo hizo, ni si de veras Bellas Artes privilegió a algunos escritores con cien mil pesos y a otros nos dio solamente ochenta mil. El caso fue que Ibargüengoitia y yo entregamos de los primeros nuestra obra terminada. Él *Los buenos manejos* y yo *Alicia, tal vez.*

Escribí *Alicia, tal vez* en poco menos de tres meses tratando de rescatar el tema de una protagonista femenina, apenas pergeñado durante mi temporada de sequía literaria de 1971 a 1975. La situaba entonces en las oficinas de una revista de modas a imagen de la revista *Claudia* donde trabajé seis años. Siempre pensé que aquella experiencia merecía un tratamiento literario, pero cuando me puse a elaborarlo no conseguí armar la historia teatral. Me quedé con simples visiones escénicas: la sesión fotográfica de un gran reportaje de modas con la participación de diseñadores, fotógrafos, maniquíes y modelos; el ambiente oficinesco poblado de intrigas e injusticias laborales, y una escena culminante donde las maniquíes de pasta, vestidas con una "moda guerrillera" impuesta por el consumismo publicitario, se rebelaban contra el manipuleo de sus dueños y terminaban destruyendo aquel mundo de ilusiones con sus metralletas de juguete. Alcancé a escribir un primer acto en borrador, muy en borrador, que le mostré a Ignacio Retes y que luego terminó en la basura.

No volví a pensar en mi protagonista femenina ni en su ambiente hasta que acepté el compromiso de la Compañía Nacional de Teatro. Ahora no debía preocuparme por el número de personajes. Tampoco necesitaba centrar la historia en las oficinas de una revista de modas. Ésa podía ser tan sólo una etapa del recorrido de una mujer, de una Alicia extraída como un símbolo del personaje de Lewis Carroll, enfrentada a las situaciones arquetípicas de nuestra realidad. Me atrajo la posibilidad de escribir una obra a base de arquetipos porque quería comenzar a aproximarme a los secretos de la farsa, un género que sólo por una ocasión abordé, con ánimo decididamente panfletario, cuando escribí el penúltimo capítulo de *Los periodistas*.

Del frustrado argumento de la revista femenina rescaté las visiones escénicas de la oficina y de la sesión fotográfica de modas. Al mismo tiempo quise dar una nueva oportunidad a los Miserables de *La mudanza* que la puesta en escena de Adam Guevara acababa de eliminar. Estaba convencido de su riqueza expresiva y de sus posibilidades dramáticas. Si en mi pieza anterior no funcionaron por culpa mía o del director, ahora probaría de nuevo. Sólo les cambié de nombre: en lugar de Miserables los llamé Desharrapados, pero conservé en todo su presencia fantasmal y su carácter simbólico.

Estela, como siempre, fue la primera en leer mi obra. Esta vez no estuvo de acuerdo con el final. Le pareció desatinado de mi parte culminar el recorrido de Alicia con un regreso a la cama del marido, es decir, al mundo de la sujetación femenina. Era como si el desplante de la Nora de Ibsen encontrara aquí su contraparte. Resolver con un fracaso una lucha de liberación implicaba de algún modo una actitud devaluatoria hacia la mujer o hacia cualquier ser humano en general. Tal vez Estela tenía razón pero yo pensé que sin regreso no había drama y mantuve el trazo de mi obra tal cual. Llevé una copia a Bellas Artes, recibí el cheque por cincuenta mil pesos y fui a ver a José Solé.

Aunque tenía un año de no hablar con el director de la Compañía Nacional de Teatro estaba al tanto del penoso desarrollo de su enfermedad. Finalmente Solé fue sometido a una intervención quirúrgica en el Centro Médico del IMSS, le extirparon con éxito el tumor pero perdió por completo la capacidad de hablar. Para hacerse oír usaba ahora un vibrador manual, accionado por pilas, que se aplicaba presionándose el cuello a la altura de la garganta. Las palabras emitidas eran claras, aunque tenían un sonido metálico, potente, frío, terriblemente impersonal. Los amigos de Solé comentaban admirados la tranquilidad, el estoicismo, con que el director había enfrentado su drama. Lejos de mostrarse deprimido ante ellos, conservaba su bonhomía y su dinamismo de siempre. Seguía siendo el hombre cordial que todos admiraban.

No encontré a José Solé en sus oficinas de la Unidad Cultural del Bosque el día en que fue a llevarle mi pieza concluida. Le dejé el libreto y le escribí un recado. Confiaba, le dije, tal como me lo prometió un año y medio antes cuando el rechazo de *La mudanza*, que *Alicia, tal vez* figurara entre las tres obras mexicanas subvencionadas que montaría la Compañía Nacional de Teatro en su temporada 1980-81.

No tuve respuesta durante mucho tiempo. Encontré a José Solé en el University Club, durante la cena anual instituida por la Asociación Mexicana de Críticos para premiar los mejores trabajos teatrales de 1979. Apenas recibí el diploma del premio Juan Ruiz de Alarcón por *La mudanza* fui hasta su mesa, acompañado por Alejandro Aura, y le entregué la cartulina.

—Te dejo en prendas mi diploma —le dije—. No me lo devuelvas hasta que monten *Alicia*.

Sonriendo ante mi desplante, José Solé tomó el vibrador manual, lo presionó contra su cuello y por primera vez, entre los murmullos y los ruidos de la fiesta, escuché su impresionante voz electrónica:

—Gra-cias. Te lo de-vol-ve-ré muy pron-to Vi-cen-te. Muy pron-to.

En efecto, muy pronto supe de la programación de la CNT para la temporada 1980-81. Las tres obras mexicanas eran: *Los buenos manejos* de Jorge Ibargüengoitia, *Las alas sin sombra* de Héctor Azar y *Alicia, tal vez*. Sería mi obra la que abriría la temporada en el teatro Jiménez Rueda; allí se presentarían después *Los buenos manejos* y *El último preso*, de Mrozek. De acuerdo con el sistema establecido por la Compañía Nacional, mi obra funcionaría ininterrumpidamente durante dos o tres semanas. Luego, por un periodo igual, se presentarían sucesivamente *Los buenos manejos* y *El último preso*. Cuando las tres obras concluyeran su minitemporada respectiva de presentación en el Jiménez Rueda, empezarían a funcionar alternadamente en el mismo teatro: dos días a la semana la primera, dos días la segunda y dos días la tercera; o bien: una semana la primera, una semana la segunda y una semana la tercera. El mismo sistema se aplicaba para las tres obras que iban al teatro Del Bosque: *Ah, soledad* de O'Neill, dirigida por José Quintero; *Las alas sin sombra*, dirigida por el propio Héctor Azar, y *La muralla china* de Max Frisch, dirigida por José Solé. El sistema exigía una organización muy precisa porque varios actores de la Compañía llevaban papeles en diferentes piezas y no podían, por supuesto, practicar el don de la ubicuidad. Ya era para ellos un reto más que suficiente el tener memorizados a un tiempo los parlamentos de dos o tres obras.

Por sugerencia de Estela, quien confiaba en que una directora mujer evitaría los peligros de un montaje antifeminista y comprendería mejor la psicología del personaje principal, pensé en Martha Luna para hacerse cargo de *Alicia, tal vez*: Estela y yo admirábamos sus trabajos anteriores. Imposible. La CNT ya había llamado a Martha Luna para dirigir *Los buenos manejos*. Consentí entonces, gustoso también, que Julio Castillo desempeñara el trabajo. Lo llamé por teléfono:

Sí, José Solé le propuso mi obra. Tenía el libreto en sus manos. Estaba encantado de dirigir *Alicia, tal vez*.

—¿Aceptaste?

—Claro que acepté.

—Ahora sí, Julio.

—Ahora sí, maestro. Ahora sí.

202

Quedamos en comunicarnos más adelante para cambiar impresiones sobre el montaje y para ver de qué manera convencíamos a José Solé de que llamara a Ofelia Medina, como actriz invitada, para el papel protagónico. Dada la sólida amistad entre Ofelia Medina y Julio Castillo y la incuestionable calidad de la actriz, pensé que no sería muy difícil convertirla en la Alicia de mi obra.

—Es to-tal-men-te im-po-si-ble Vi-cen-te —me dijo Solé maniobrando su aparato.

—¿Por qué imposible?

Lentamente, con su voz ronca, metálica, el director me explicó que era un deber de la Compañía Nacional de Teatro distribuir todos los papeles de las distintas obras sólo entre sus actores de planta. Resultaría muy injusto para cualquiera de las primeras figuras que la CNT invitara a un actor o a una actriz de fuera cuando surgía la posibilidad de un papel de primera importancia. Además, no habría actor ni actriz ajeno a la Compañía que aceptara trabajar durante una temporada bajo el sistema de alternancia de las obras. Se desesperaría durante las semanas o los días de reserva; perdería otras oportunidade

—Pero en la Compañía no hay ninguna primera figura femenina para Alicia —dije.

—Mó-ni-ca Ser-na —replicó José Solé con el aparato—. Ya le di-mos el pa-pel a Mó-ni-ca y es-tá en-tu-sias-ma-da. Ca-si se lo tie-ne a-pren-di-do de me-mo-ria. Di-ce que es un per-so-na-je ma-ra-vi-llo-so Vi-cen-te. Y Mó-ni-ca lo ha-rá muy bien. Yo te lo ga-ran-ti-zo.

Desde luego no discutí la decisión del director de la Compañía Nacional de Teatro. En realidad yo era incapaz de medir las posibilidades de Mónica Serna como Alicia. No la imaginaba en el papel, pero sabía que inició su carrera con Seki Sano y le había visto magníficos trabajos en *El asesinato de la hermana George,* en *Un tranvía llamado deseo* y en *La dama de pan de jengibre* de Neil Simon. Confié en su entusiasmo y en la experiencia de José Solé y de Julio Castillo.

Aunque me desentendí por un tiempo de los preparativos del montaje estuve atento a los rumores: oí decir que muchas de las personas que habían tenido oportunidad de leer mi texto original tachaban a *Alicia, tal vez* de obra antifeminista. Los rumores no me habrían preocupado mayormente si no involucraran a Julio Castillo. Al decir de los chismes, Blanca Peña, la mujer de Julio, analizó concienzudamente la pieza, alertó a su marido y terminó convenciéndolo de que no podía dirigir una obra reaccionaria, disolvente, ofensiva para la mujer y para los movimientos de liberación. Deseché el rumor por desorbitado y porque si Julio era capaz de pensar así yo sería el primero a quien él plantearía abiertamente sus desacuerdos, incluso su rechazo.

Me sorprendí por eso cuando José Solé me dio la noticia:

—Ju-lio Cas-ti-llo no va a di-ri-gir *A-li-cia*.

—¿Porque le parece antifeminista?

—No Vi-cen-te. La o-bra le gus-ta mu-chí-si-mo pe-ro es-tá en-fer-mo. El o-tro dí-a se des-ma-yó cuan-do es-ta-ba di-ri-gien-do u-na te-le-no-ve-la. Los mé-di-cos le di-je-ron que e-ra ex-ce-so de tra-ba-jo y a-ho-ra se es-tá des-ha-cien-do lo más po-si-ble de sus com-pro-mi-sos. Me di-jo que lo sen-tí-a mu-cho y yo le cre-o Vi-cen-te.

Yo no. Yo me resistía a creer. La noticia parecía confirmar los rumores. Era un pretexto. Si no lo fuera, Julio Castillo se habría tomado la molestia de avisarme.

Mientras masticaba mis dudas y digería el resentimiento, acordé con José Solé, después de barajar los nombres de Ignacio Retes, Adam Guevara y Ludwik Margules, ofrecer a Margules la dirección de *Alicia, tal vez.*

—A Mar-gu-les le gus-ta tu tea-tro. A-cep-ta-rá in-me-dia-ta-men-te ya ve-rás.

José Solé dio a leer la obra al director polaco y yo me puse a descargar mi resentimiento contra Julio Castillo por dondequiera. Mis quejas llegaron a sus oídos. Al fin me telefoneó para saber si yo había dicho por ahí que él no iba a dirigir *Alicia, tal vez* porque la consideraba antifeminista.

—Eso pienso, Julio.

—Oye no, maestro.

—O porque no te gusta, simplemente.

—No hombre, qué barbaridad.

—Estás en tu derecho de que no te guste y no quieras diri-

204

girla, Julio. Lo único que me parece gacho es que no me lo hayas dicho con toda claridad.

—Me puse enfermo, de veras, te lo juro. Ando con un exceso de trabajo espantoso. En la mañana la telenovela y luego en la noche, tú sabes, estoy ensayando el *Estupendhombre* de González Caballero. La obra se me complicó muchísimo y estamos muy atrasados. Yo le dije a Solé que podía empezar con *Alicia* cuando terminara el *Estupendhombre*, pero él me dijo que necesitaba ser por fuerza en agosto, y yo en agosto apenas voy a estrenar la de González Caballero. No puedo dirigir dos obras al mismo tiempo. Y me da mucha lástima, maestro, mucha lástima.

Quedamos tan amigos como siempre: él dedicado al *Estupendhombre* y yo telefoneando de continuo a la oficina de José Solé para preguntar:

—¿Ya aceptó Margules?

Una mañana me fui directamente a la Unidad Cultural del Bosque. Solé estaba en problemas: tenía descompuestos sus dos vibradores: el de uso corriente y el de repuesto. El percance se complicaba porque los aparatos eran importados y las piezas que necesitaban cambiarse las traían de Estados Unidos: tardaban una semana, una semana y media, y durante ese lapso él permanecía condenado a la mudez completa. A pesar de la desgracia Solé no se veía abatido ni malhumoroso; conservaba su tranquilidad de siempre. Para hacerse entender tenía que golpetear sus labios, silabeando, con lo que producía leves sonidos en la cavidad bucal. Se ayudaba con señas y pedía al interlocutor que leyera en el movimiento de sus labios el dibujo de las palabras.

—¿Ya aceptó Margules?

—Pre ci sa men te hoy va mos a co mer con él An ci ra y yo.

—¿Ya aceptó?

—Hoy nos va a de cir pe ro ya lo da mos por un he cho.

Realmente era difícil entender al director de la Compañía Nacional de Teatro.

—Por qué no vie nes a co mer con no so tros.

No le entendí.

José Solé escribió en un trozo de papel:

Ven a comer con nosotros hoy a las tres en el Perro Andaluz de la Zona Rosa.

—Tal vez sea mejor que él hable libremente con ustedes —dije.

Solé negó con la cabeza. Silabeó:

—A sí ga na mos tiem po. Que de u na vez cam bie im pre sio nes con ti go so bre la pues ta.

Y escribió:

Urge!! Tenemos que estrenar en agosto.

Cuando llegué a El perro andaluz, a las tres en punto, José Solé y Carlos Ancira ocupaban ya una mesa en la planta alta del restorán. En lo que llegaba Margules, Ancira comentó que el final de *Alicia, tal vez* parecía prolongado a la fuerza. Para él, la obra debería terminar en el momento en que Alicia es victimada, tal vez muerta, por los Desharrapados.

—No —dije. Y agregué que el regreso a la cama del marido era indispensable porque de otro modo no se cerraba el círculo de la historia ni se evidenciaba el fracaso de la mujer. —Y miren que por ese final algunos tachan a mi obra de antifeminista.

—No es an ti fe mi nis ta —silabeó Solé. Estaba sentado frente a Ancira, en una mesa rectangular, y los murmullos del restorán me obligaban a inclinar el cuerpo lo más posible. Lo miraba a los labios—. Y la me jor prue ba es lo que pien sa Mó ni ca. Pa ra e lla es u na de nun cia en fa vor de la mu jer. Ca da dí a es tá más en tu sias ma da.

—A mí me tiene muy sin cuidado si tu obra es antifeminista o no —dijo Ancira—. Tanto mejor si lo es; ya era tiempo, caray. En todo caso ésa es tu postura y hay que respetarla.

—No es mi postura —protesté.

—Eso es lo de menos.

Solé pidió a Ancira que me informara sobre la conformación del reparto. Además de Mónica Serna irían: Augusto Benedico como el Conductor, el propio Carlos Ancira en el breve papel del Padre, José Alonso como Marcos, Octavio Galindo como el Fotógrafo, Miguel Córcega como Gustavo, el jefe de la oficina, y Yolanda Mérida como la Coreógrafa. Veinte actores más completaban el extenso reparto.

Acompañado del escenógrafo Alejandro Luna, Ludwik Margules llegó con media hora de retraso al restorán. Se sorprendió al verme. Contrajo su voluminoso cuerpo, movió de un lado a otro la cabeza y sus ojillos se pusieron a girar y girar. Parecía un búho.

—No sabía que tú ibas a venir.

—Yo tampoco. Pepe me invitó a última hora.

No hallaba qué decir Ludwik Margules. Prolongaba sus saludos a Solé y a Carlos Ancira. Tardaba en tomar asiento, en encender la pipa, en ordenar un whisky, en elegir un platillo de la carta. Al fin se acomodó junto al director de la CNT mientras Alejandro Luna, en la cabecera de la mesa rectangular, cruzaba los brazos sobre el mantel y presionaba los labios dispuesto a no pronunciar palabra como si fuera él, y no Solé, quien hubiese perdido las cuerdas vocales.

—No sabía que Vicente iba a venir —insistió Margules—, pero en fin, lo que voy a decir tengo que decirlo de todos modos. Mejor de una vez, sin preámbulos.

Toda mi atención se centraba en el director polaco. Él me miraba a ratos, parpadeante.

Dijo:

—A mí no me parece honrado poner pretextos. Yo no voy a decir que estoy enfermo o que tengo mucho trabajo. Eso no es justo con el autor ni con nadie. Prefiero plantear las cosas claramente.

—Como debe ser —dijo Ancira. Así se habla.

Margules se pasó un pañuelo por la frente mientras se reacomodaba en la silla que parecía desbordar. Aún no podía encender la pipa. Se encarreró, tropezando las frases con su acento extranjero:

—Me vas a perdonar pero esto es lo que pienso —dijo, dirigiéndose a mí—. Leí la obra dos veces, tres, cuatro, ya no sé cuantas y la verdad no me gustó. Yo no digo que sea buena o que sea mala, eso me resulta imposible de determinar. No me gustó a mí porque el tema no me interesa en lo absoluto. Estoy totalmente fuera, anímicamente, de los problemas de esa mujer y de cualquier otra; es otro mundo que me tiene sin cuidado. Me fastidia, me pasa por alto. Por eso no puedo juzgar la obra objetivamente. Nada más digo, y me pesa muchísimo tratándose de ti, que yo no puedo dirigir una obra con la que no me siento identificado.

—Es la primera vez que oigo a un director de teatro plantear sus puntos de vista con esta claridad —exclamó Ancira—. A esto se llama hablar con honradez.

José Solé intervino:

—¿No es pro ble ma de al gu nas e sce nas que pu die ras dis cu tir con Vi cen te?

—¿Qué dice? —preguntó nervioso Ludwik Margules.

Ancira tradujo:

—Que si no es problema de algunas escenas. Podrías ponerte de acuerdo con Leñero, para que se modificaran.

—Eso no lo plantearía jamás —dijo Margules—, jamás. Yo respeto muchísimo el trabajo de Leñero. A mí me hubiera encantado dirigir cualquiera de sus otras obras, *Los albañiles*, cualquiera. Pero ésta, esta obra en particular está totalmente fuera de lo que me interesa hacer en el teatro. Lo siento.

Se produjo un silencio pesadísimo. Nada tenía yo que decir, los vibradores de José Solé estaban descompuestos y Alejandro Luna continuaba decidido a permanecer como simple espectador. Ancira rompió la pausa:

—Estoy admirado, realmente admirado. En toda mi vida de actor nunca había visto a un hombre de teatro hablar con esta honradez. Qué valentía, qué rectitud, qué pantalones. Te felicito calurosamente, Ludwik.

—Gracias, Carlos. Y perdónenme.

—No hombre —insistió Ancira—. Esto no es para perdonarte, al contrario. Todos deberíamos aprender a ser como tú.

—Gracias, Carlos.

Solé llamó la atención de Alejandro Luna para que lo mirara a los labios:

—A ti qué te pa re ció la o bra A le jan dro.

—No la he leído —respondió el escenógrafo y volvió a sellar su boca.

Luna y Margules comieron de prisa, y pretextando un compromiso urgente abandonaron El perro andaluz antes de que nos sirvieran el café y el coñac. Todavía después de que salieron, Carlos Ancira continuaba elogiando la valentía y la honradez del director polaco. Ajeno a las exclamaciones del actor y principal consejero de la Compañía Nacional de Teatro, yo pensaba que dos rechazos seguidos a *Alicia, tal vez*, el de Julio Castillo y el de Ludwik Margules, no podían pasarme desapercibidos. Fueren por las razones que fueren se trataba de rechazos tajantes. Por primera vez dudé del valor literario y teatral de mi obra.

Sin embargo, el momento no era para deprimirse. José Solé se veía preocupado. *Alicia, tal vez* estaba programada para estrenarse en agosto y necesitábamos elegir un director a la mayor brevedad, en ese mismo instante.

—Ignacio Retes.

Desde que Julio Castillo renunció a dirigir mi obra, Solé barajó el nombre de Retes. No se decidió a ofrecerle el trabajo porque la CNT buscaba dar oportunidades al mayor número de directores, y Retes ya había puesto en escena *Volopone* de Ben Jonson en la temporada 1977. Ahora el caso debía ser contemplado desde otra perspectiva y era allí donde se planteaba un problema de carácter interno, gremial. Me lo explicó Carlos Ancira. La Compañía Nacional de Teatro era la única institución oficial que permitía a sus actores pertenecer al Sindicato de Actores Independientes fundado por Enrique Lizalde a raíz de un brusco rompimiento con la ANDA, en mayo de 1977. De hecho, la CNT se había convertido en el bastión teatral más importante del SAI. Ignacio Retes no pertenecía al grupo disidente. Es más, al decir de Ancira, Retes había asumido un comportamiento agresivo contra el sindicato de Lizalde, y eso originaba que los actores de la Compañía Nacional de Teatro lo vieran con malos ojos. Si Solé nombraba a Retes director de *Alicia, tal vez* se corría entonces un serio peligro: los actores podían insubordinarse, descuidar el trabajo, manifestarse incómodos cuando menos. De acuerdo, quizá Retes era la mejor carta para mi obra, pero al mismo tiempo la más riesgosa.

—Rafael López Miarnau, Luis de Tavira. . .

No. Ambos directores exigían de mucho tiempo para la preparación de una puesta en escena y el montaje de *Alicia, tal vez* era urgentísimo. Se necesitaba un director veloz.

—Adam Guevara.

Podía ser Adam Guevara. Quién sabe. Le debía seguramente el éxito de *La mudanza*, pero él me debía de su parte la supresión de los Miserables. Ahora reaparecían como los Desharrapados y no, yo no quería exponerme a una nueva desaparición.

—Abraham Oceransky.

Era el candidato de Carlos Ancira, por imaginativo, por cumplido, por eficaz. Se le ubicaba en la línea de Alejandro Jodorowsky y Julio Castillo y eso era conveniente para la obra que exigía un director fantaseoso, no un formalista como Margules: tal vez por eso no le gus tó a Mar gu les, silabeó José Solé. De los montajes de Oceransky yo guardaba un buen recuerdo de *El conejo blanco,* una paráfrasis de *Alicia en el país de las maravillas;* magnífico de *Acto de amor,* una versión teatral de un cuento de Yukio Mishima, y bueno también de una *Antígona* en el teatro El Galeón. Para Ancira, quien había actuado dos años antes bajo su dirección en *El día que se soltaron los leones*, Oceransky estaba en posibilidades de hacer un extraordinario montaje de mi obra. Ya no era tan loco como se decía. Aunque la crítica no apreció con justicia su puesta en escena de *El día en que se soltaron los leones*, Oceransky hizo un trabajo de primera, subrayó Ancira, y demostró que había entrado en la madurez. Discutimos a otros directores posibles, revisamos a los ya nombrados, y finalmente, cansados de hacer bolitas de migajón en la mesa de El perro andaluz, decidimos ofrecer la dirección de *Alicia, tal vez* a Abraham Oceransky.

La leyó y aceptó de inmediato. Él mismo propuso que cambiáramos impresiones y le diera yo mis puntos de vista sobre las ideas que se le iban ocurriendo. Antes de iniciar los ensayos nos reunimos un par de veces. La primera en el Vips de Alabama y la segunda en su centro teatral de Tacubaya.

En la trayectoria de su carrera Oceransky siempre fue cabeza de grupos de actores. Con un grupo construyó el teatro El Galeón en la Unidad Cultural del Bosque y con un grupo, ahora, había organizado este centro en lo que fue la casa de Luis N. Morones. Más que una institución, el centro parecía un proyecto. En los cuartos inmensos de la casona faltaban mesas, sillas: el mobiliario mínimo requerido para una escuela de teatro que en opinión de Oceransky necesitaba ser, era, en extremo selectiva: sólo aceptaban alumnos compenetrados con una idea del teatro como experimento, como búsqueda, no como una carrera para conseguir trabajo en el ámbito comercial. Antes de sentarnos a cambiar impresiones sobre *Alicia, tal vez*, el director me llevó por los salones vacíos de su centro y me asomó al pequeño foro donde en ese momento ensayaban una pieza de teatro japonés, al que tan adicto era Oceransky.

Por fin nos sentamos a tomar café turco y a hablar de mi pieza. Entre los requerimientos formales que mi tratamiento planteaba y los alardes imaginativos que él proponía nos encontramos en un punto medio, conciliatorio. Acepté que él se encargara del trabajo del escenógrafo y suprimiera la habitación de Alicia y su marido —acotada en mi texto como un área siempre presente, decorada con extremo realismo— y él aceptó por su parte mis reparos a algunos de sus mil recursos propuestos. Pensaba, por ejemplo, en la fabricación de enormes y grotescas máquinas de escribir para la escena de la oficina; pensaba en la inclusión de un conjunto de mariachis con charros vestidos de color de rosa; pensaba en lluvia de verdad para la escena de las feministas, en humo llenando el foro para el final de la obra... Yo lo detuve en las máquinas de escribir y los charros color de rosa, José Solé no le dio autorización para la lluvia de verdad, pero Oceransky consiguió el humo de la escena final aunque no del modo ni en la cantidad que él exigía. El inevitable forcejeo entre su imaginación y las acotaciones de mi pieza terminó siendo, probablemente, la causa de que el montaje no alcanzara un estilo uniforme como lo demostró la escena de la sesión de modas: yo la propuse realista, él la trató expresionista —sin modificar los parlamentos— y el resultado fue una mezcla híbrida de la que tanto él como yo asumimos la responsabilidad. Para darnos cuenta de esto, sin embargo, resultó necesario llegar a la noche del estreno. Por el momento nos entendimos bien en la conciliación de nuestros sendos puntos de vista y logramos establecer una relación cordial, amistosa.

A pocos días de iniciar el montaje en el teatro Jiménez

Rueda, Oceransky me invitó a un ensayo en el foro de la Compañía Nacional de Teatro de la calle Veracruz, donde estuvo en un tiempo la sede del Colegio de Arquitectos. Allí me encontré a Augusto Benedico, quien se negaba a participar en los ejercicios de calentamiento que Oceransky ponía a sus actores antes de empezar cada ensayo. Benedico despreciaba con un gesto lo que consideraba desplantes exóticos del director, y mientras sus compañeros sudaban haciendo piruetas, lagartijas, contorsiones, el primer actor tomaba café con aire de fastidio. Desde aquella ocasión me resultó evidente que Benedico no creía en Oceransky ni tampoco, seguramente, en mi pieza. Estaba allí como a la fuerza, obligado por su categoría de actor de planta de la CNT, de ninguna manera por entusiasmo, por decisión propia. Me hubiera gustado escuchar de él un adjetivo favorable para *Alicia, tal vez*, pero en lugar de pronunciar el epíteto laudatorio me habló, con una sonrisa maliciosa, de mi antifeminismo inconsciente. Era su opinión —otra más—, ni modo.

En contraste con la astenia de Benedico resultaba digna de asombro la pasión que denotaba Mónica Serna. José Solé se había quedado corto en sus observaciones: Mónica tomó el papel de Alicia no sólo con dedicación, sino como el más importante que le hubiera tocado interpretar en toda su carrera. Pendiente de las órdenes, atenta a los comentarios y siempre dispuesta a repetir un diálogo o a rectificar una actitud, Mónica se puso en manos del director con la docilidad de una actriz primeriza.

—Está genial —me dijo una noche Oceransky— Te garantizo que se llevará este año el premio de los críticos.

Como Carlos Ancira decidió no participar en la breve escena del Padre —demasiado breve para una primera figura—, Oceransky me propuso agregársela al papel de Benedico a manera de desdoblamiento. De pronto el Conductor, que dialogaba con Alicia como una conciencia objetiva a lo largo de su recorrido, se convertiría de manera efímera en el Padre anciano y enfermo, a punto de agonizar frente a la protagonista. Era una modificación muy lógica, me dijo Oceransky pensando en un fenómeno de transferencia psicoanalítica, que nos ayudaría

212

sobre todo a dar más cuerpo al personaje del Conductor y a estimular, en consecuencia, al asténico Benedico. Más por esta última ganancia secundaria, que por el recurso del desdoblamiento, ajeno a mi idea original, acepté la propuesta de Oceransky. Lo trabajó muy bien Benedico, era incluso su mejor momento en la obra, pero ni eso ni el que yo elogiara de continuo su actuación sirvió para sacarlo de su displicencia.

Llegaba yo a los ensayos en el Jiménez Rueda, acompañado a veces por mi hija Eugenia, y encontraba a Benedico protestando por lo bajo contra las órdenes del director, quejándose del tiempo que Oceransky hacía perder a los actores, repitiendo a regañadientes un diálogo, una escena. Desde luego todo se le perdonaba por su gran destreza para sacar adelante el papel —y eso lo sabía él mejor que nadie—, pero Oceransky entraba en la exasperación.

También Yolanda Mérida se hallaba entre los remolones y quejumbrosos de la Compañía Nacional de Teatro, aunque ella carecía del respaldo de una alta calidad. Como Benedico, era evidente que la actriz no creía en Oceransky ni en la obra: sólo por disciplina trabajaba en el breve papel de la Coreógrafa lesbiana. Ya muy tarde descubrió Oceransky, y así me lo dijo, que ese personaje hubiera sido mejor trabajado por Nuria Bagés, desaprovechada en múltiples y pequeños papelitos de *Alicia, tal vez.*

Los demás problemas del director no eran con los actores, eran con José Solé y Luis Gimeno quienes lo presionaban para que consintiera en suavizar las dos escenas de violación: al final del primer acto y al final del segundo, con los Desharrapados.

—Tú díselo —me pedía Luis Gimeno—. A las obras de la Compañía Nacional van muchas familias. Va a ser imposible llevar tu obra a la provincia.

Nunca dije nada a Oceransky. Él se mantuvo firme ante Gimeno y Solé y ambos, respetuosos, terminaron cediendo a la obstinación del director: Las dos violaciones se presentaron tal como él las compuso.

Una noche José Alonso fue a sentarse al lado de la butaca desde la que yo observaba el desarrollo del montaje. El actor andaba de romance con una despampanante vedette que casi

213

a diario iba a esperarlo, y apenas Oceransky daba la voz de corte, Pepe salía corriendo no sé a dónde con su hermosísima criatura. Esta vez aplazó la huida, dijo a su vedette espérame tantito, y se sentó junto a mí para explicarme el gran descubrimiento que acababa de hacer sobre el personaje Marcos que él interpretaba.

—Me cayó el veinte —dijo Pepe Alonso—. Ese personaje eres tú mismo, ¿a poco no?

—¿Yo mismo?

—Tú o una proyección tuya, como dicen. Para mí está clarísimo después de leer *Los periodistas*. Antes eras un escritor muy dado a la imaginación, a la magia literaria, como este Marcos cuando está en la oficina. Pero luego, después de lo de *Excélsior* y *Los periodistas*, se te presentó toda la cuestión social: la injusticia, los Desharrapados. ¿Verdad que sí?, ¿verdad que voy bien? Para mí está clarísimo. —Y Pepe Alonso, de pronto, frente a su vedette que lo aguardaba en el pasillo, se puso a recitar el parlamento de Marcos en su escena final con Alicia—: Un día mi magia se escapó del sombrero de copa, de las flores de papel, y salió volando por la ventana. Se elevó como un globo más allá de los edificios, por entre las nubes, bajo la lluvia. . . hasta que de pronto, plaf, se estrelló contra una muralla gigantesca y se desbarató hecha añicos como una copa de cristal. Yo me incliné para recoger un trozo de vidrio y en su reflejo descubrí un mundo diferente. Un mundo horrible, Alicia: purulento, enfermo, fétido; levantado entre montañas de basura, poblado de ratas, invadido de llagas, sucio, helado. Donde la luz no llega. Donde el único sonido es un larguísimo lamento. . . Me asusté. Aquella visión se me clavó en lo profundo como si el trozo de vidrio se hubiera convertido en una espada. Me hizo daño. Me obligó a cambiar de golpe todos mis sueños. —Pepe Alonso se interrumpió. Su vedette lo urgía. —¿Verdad que sí?

Ya no me dio tiempo a refutar su peregrina deducción. Agitando una mano el actor salió corriendo obediente al llamado de Eros.

La noche del ensayo general, al terminar la función, me acerqué a Augusto Benedico. Quería salir de dudas. Quería averiguar si su astenia a lo largo de todo el montaje había sido realmente provocada por mi pieza. Su opinión, además, valiosa por sus conocimientos teatrales, por su experiencia, me ayudaría a saber qué podía yo esperar del enfrentamiento de *Alicia, tal vez* con el público.

—¿Qué piensas de la obra, Benedico?

—¿Del montaje?

—Del montaje y de la obra, de todo. ¿Cómo la va a recibir el público?

Benedico me miró. Su sonrisa enigmática, entre compasiva y suficiente, jaloneó sus arrugas hacia los anteojos. En seguida se puso serio.

—No lo sé. De veras no lo sé. En teatro no hay más remedio que esperar la noche del estreno. Pregúntamelo mañana, después de la función, y yo te digo.

Con Estela y mis tres hijas mayores me presenté en el Jiménez Rueda la noche del 23 de agosto de 1980. Aunque era viernes, día de cierre en *Proceso*, me ausenté de la revista y me pasé la tarde leyendo *La isla purpúrea* de Bulgákov. A las nueve en punto encontramos a Juan José Bremer en el foyer del teatro. El director de Bellas Artes me invitaba a ver la representación en butacas contiguas, pero le expliqué que prefería sobrellevar el trance al lado de Estela. Bremer sonrió.

La función de estreno de *Alicia, tal vez* sufrió algunos tropiezos: la grabación musical se barrió momentáneamente al comienzo del segundo acto, y en la escena final de los Desharrapados fallaron los ventiladores y el humo que debía llenar el foro invadió la butaquería entre toses y protestas de algunos espectadores de las primeras filas que decidieron abandonar la sala antes del cierre del telón. Con todo, fueron tropiezos sin importancia. El montaje obedeció en lo fundamental a lo planeado por Abraham Oceransky, y no obstante yo sentí que el ambiente se había ido cargando, a lo largo de toda la función, no del humo de la escena final sino de la indiferencia, la desconexión, el rechazo del público. Era una reacción callada pero densa, tangible. Pesaba sobre el teatro como una gelatina que hubiera podido cortarse a rebanadas, con un cuchillo.

Se lo dije a Estela en voz baja:

—No gustó —le dije en el momento de partir rumbo a la puerta lateral para llegar a tiempo al escenario y participar en la inevitable ceremonia de acción de gracias.

Entre bastidores encontré a Oceransky cuando la función agonizaba. Vestía totalmente de blanco, elegantísimo: camisa con pechera de encajes. Estaba feliz.

—Un éxito —me dijo—, ha sido un éxito.

No alcancé a replicar.

Empezaban a sonar los aplausos.

—Oye qué aplauso, qué aplauso —brincoteaba de gusto Oceransky, como un chiquillo—. Oye, oye, oye.

Para mí no servía ese termómetro. Además de que eran aplausos de función de estreno, el director había montado con los actores una escena de gracias tan complicada y tan larga que parecía un epílogo y obligaba al público a prolongar sus palmas.

Oceransky y yo entramos en el escenario. Más aplausos.

Por fin se cerró el telón definitivamente. Tras la cortina, el foro se convirtió en una noche de año nuevo. Júbilo general, abrazos al por mayor. Después de estrechar a Mónica Serna, a Oceransky, a Nuria Bagés, a José Alonso, a Yolanda Mérida, a Octavio Galindo, a Alberto Gavira. . ., me acerqué a Benedico para darle un apretón de manos:

—¿Ahora sí me puedes decir?

—Funcionó —dijo Benedico—. Será un éxito.

Felicitaciones y abrazos se prolongaron en el foyer, durante el coctel que ofreció la Compañía Nacional de Teatro a sus actores e invitados. Al ir por un whisky crucé junto al corrillo que formaban algunos expertos de la Unión de Críticos y Cronistas. Alcancé a escuchar:

—En lugar de una crítica, a mí me gustaría publicar en el periódico una esquela: Con *Alicia, tal vez*, Leñero RIP.

Ésa fue, en efecto, la reacción casi unánime que después constaté en la prensa. No regresé al teatro a ver por segunda vez la obra. Supe que en la primera semana de funciones José Alonso se luxó un tobillo al saltar de la plataforma al piso, en su escena final, y fue sustituido casi toda la temporada por Oscar Narvaez. También Augusto Benedico abandonó su papel

216

de Conductor cuando falleció Fernando Mendoza y se necesitó un actor para *Ah, soledad*.

En su temporada 1980-81 en el Jiménez Rueda, *Alicia, tal vez* se representó en 42 funciones en total. José Solé y su esposa nos invitaron a Estela y a mí a cenar en el restorán Del Lago para devolverme el diploma de *La mudanza*. Misión cumplida. El director de la Compañía Nacional de Teatro había satisfecho con creces su compromiso.

LAS NOCHES BLANCAS (1981)

Eran los años cuarentas. Mis padres nos llevaron a pasar unos días a Cuautla en compañía de Tío Enrique, el mayor de los hermanos de mi padre, quien convalecía de una larga enfermedad. Nos hospedamos en el hotel Vasco.

Recuerdo una tarde. Al regresar del balneario de aguas termales con olor a huevo podrido entré en el cuarto de Tío Enrique. Estaba en la cama, recostado.

—¿Te sientes bien?

—Muy bien.

Me gustaba oírlo. No era tan expresivo como Tío Bernardo, como Tía Serafina, como Tío Alberto, como mi padre, ni profería discursos o poemas de Gaspar Núñez de Arce en las celebraciones familiares, pero sabía más que todos de literatura. Hubiera preferido dedicarse a escribir que a trabajar como encargado de tiendas de abarrotes o restoranes. Escribir en revistas; escribir en las páginas editoriales de los periódicos. Escribir libros también. Ojalá a ti te guste y puedas hacerlo —me dijo una vez, pocos días antes de morir—. Yo no tuve tiempo.

Al regresar del balneario entré en el cuarto de Tío Enrique. Me tendió un libro.

—¿No me lees un rato?

Era un libro de la colección Austral, de la serie azul. Contenía dos obras de un autor ruso cuyo nombre me costó trabajo pronunciar: Dostoyevski: *El diario de Raskólnikov* y *Noches blancas*.

—*Noches blancas* —dijo Tío Enrique—. Es una novela. Te va a gustar.

Me senté al pie de la cama, busqué la página donde empezaba *Noches blancas* y me puse a leer en voz alta. Tío Enrique se durmió en la Primera Noche pero yo continué leyendo hasta terminar el libro en el cuarto del hotel Vasco que compartía con mis hermanos.

Qué descubrimiento. Antes de alcanzar a apreciar su valor literario, la novela de Dostoyevski determinó el romanticismo

221

de mi adolescencia. Empecé a ver a Nástenka por dondequiera: en la parada de un camión, tras los vidrios de una ventana, en la callecita de un parque. Nástenka fue Roxana Letechipía, la estudiante rubia del Anglo Español quien a diario, ida y vuelta de su casa de Tacubaya al colegio, viajaba en el tranvía aguardando por años mi decisión a hablarle. Jamás tuve valor para hacerlo. Me faltó un Dostoyevski que me inventara el pretexto adecuado. No fui el soñador de su novela, pero me soñé siéndolo ante Roxana y ante todos los fantasmas femeninos que cruzaron después.

Crecí. Y aunque viví con Estela una pasión mayor a todas las imaginadas, nunca olvidé *Noches blancas*. De todo Dostoyevski fue su libro más querido, el único sagrado.

Trece, quince años después, empecé a escribir telenovelas. Al concluir el periodo 1961-62 del Centro Mexicano de Escritores, Guadalupe Dueñas invitó a todos sus compañeros becarios a participar en los programas que producía Ernesto Alonso para el Canal 2 de Telesistema Mexicano. Ernesto Alonso había hablado con ella. Quería elevar la calidad de las telenovelas, le dijo, contratando a escritores serios. Su primer plan concreto consistía en convertir un bello cuento de Guadalupe Dueñas, *Guía en la muerte*, en una serie para tevé de duración indeterminada. En el cuento, un imaginario cicerone mostraba a los turistas las célebres momias de Guanajuato contando de cada una de ellas historias de horror y de muerte, y en la telenovela, siguiendo esa misma estructura del relato, nosotros necesitaríamos únicamente dramatizar esas historias, ampliarlas, inventar otras, de manera que cada episodio aislado y completo por sí mismo tuviera una duración de diez capítulos de media hora cada uno: un capítulo diario, dos semanas de lunes a viernes por episodio. La telenovela se llamaría desde luego *Las momias de Guanajuato* y se prolongaría todo lo que diera nuestra imaginación y nuestra capacidad para inventar historias interesantes para el público espectador. Guadalupe Dueñas nos transmitió el plan de Ernesto Alonso a todos los becarios. Jaime Augusto Shelley y Gabriel Parra lo rechazaron de inmediato. Lo aceptamos Inés Arredondo, Miguel Sabido, la propia Guadalupe Dueñas y yo. Quedamos en escribir cada quien una o varias historias, pero pusimos como condición a Ernesto Alonso presentar en conjunto nuestro trabajo firmado con el seudónimo genérico de Escritores Asociados para proteger nuestros respectivos nombres del supuesto descrédito que significaba escribir telenovelas. Inés Arredondo escribió solamente un episodio y renunció. Soportamos todo el peso de la serie, hasta completar cerca de veinte historias de *Las momias de Guanajuato*, Miguel Sabido, Guadalupe Dueñas y yo. Bajo el seudónimo de Escritores Asociados trabajamos luego en forma conjunta algunas telenovelas más, y finalmente cada quien empezó a escribir por su cuenta y con su firma ya sin miedo al descrédito. Yo lo hice en forma permanente durante cuatro años, de 1962 a 1966.

En 1963, cuando andábamos todavía en *Las momias de Guanajuato,* me llamó Luis de Llano. Era gerente de producción de Telesistema y tenía a su cargo una serie titulada *La novela semanal* en la que se dramatizaban para la televisión, en cinco capítulos de media hora cada uno, novelas y obras de teatro de autores célebres. Luis de Llano me invitaba a escribir adaptaciones para *La novela semanal.*

—Vaya pensando en alguna obra —me dijo.

No necesité pensarlo. Le propuse de inmediato: *Noches blancas* de Dostoyevski.

—¿Dará para cinco capítulos de media hora?

—Desde luego.

Desde luego no. Cinco capítulos de media hora sumaban dos horas y media de duración total, y una novela tan breve, centrada en un solo escenario, difícilmente podría extenderse tanto so peligro de resultar tediosísima. Solucioné el problema adicionando a la historia personal del Soñador la anécdota del cuento *El ladrón honrado,* también de Dostoyevski.

Gracias a mi adaptación de *Las noches blancas* —agregué el artículo como para subrayar la propiedad dostoyevskiana del concepto— conocí a Fernando Wagner. Había salido de Alemania huyendo del nazismo y se instaló definitivamente en México. Aquí fundó la carrera de teatro en la facultad de Filosofía y Letras de la UNAM, y al igual que Seki Sano se entregó por completo a formar generaciones de actores y a montar obras representativas del teatro mexicano y del teatro universal. Avalado por su altura, su corpulencia, su potente voz y su acento extranjero, Wagner se había hecho fama de director estricto, gruñón, malhumorado. En realidad era un hombre tierno. Sólo de dientes para afuera reprendía a los actores, al floor manager, a los camarógrafos. Entraba en el estudio Q de Televicentro pidiendo a gritos orden y trabajo, repartiendo regaños, pero al rato lo vencía su propia sonrisa o la bondad declarada de su mirada ojiazul.

Con Alicia Rodríguez, Héctor Andremar y Guillermo Orea como el ladrón honrado de la historia adicional, Fernando Wagner dirigió entusiasmado *Las noches blancas*. A partir de entonces me trató como a un hijo. Por él supe de Dürrenmatt y por él conocí al Max Frisch de *Biederman y los incendiarios* y *Andorra*. Insistía para inocularme el virus de la televisión:

—Deja de escribir telenovelas para Ernesto Alonso y trabaja conmigo. Aquí hacen falta escritores. No hay buenos libretos, no hay profesionalismo. Yo he luchado a brazo partido para hacer algo diferente pero los buenos dramaturgos no quieren oír hablar de televisión. Ni Carballido, ni Magaña, ni Luisa Josefina. Tú y yo podemos hacer muchas cosas como *Las noches blancas*, muchas.

Para Fernando Wagner y Luis de Llano, en aquella serie de *La novela semanal*, escribí una media docena de adaptaciones: *Crimen y castigo* y *El príncipe idiota* de Dostoyevski; *La dama de corazones* de Pushkin; una biografía de Schumann y otra de Paul Gaugin.

Wagner trató también de enfilarme hacia el teatro, desde luego, pero aún no llegaba mi tiempo. Cuando escribí *Pueblo rechazado* me había despedido ya de la televisión y sólo de cuando en cuando me encontraba con el director alemán. Después murió.

Gracias a Luis de Llano mi versión televisiva de *Noches blancas* mereció, unos diez años más tarde, un nuevo tratamiento. Suprimiendo la historia adicional de *El ladrón honrado* se grabó un programa de una hora con Luis Brandoni, Blanca Sánchez y Carlos Bracho.

No concluyó ahí mi romance con la novela de Dostoyevski. A principios de 1976 propuse a Fernando Macotela, director de

Conacite II, una versión para cine adaptada al medio mexicano. En lugar de ubicar la historia en el siglo diecinueve, en el pequeño puente de San Petersburgo, la situaría en el México actual, en un puente de peatones sobre el Periférico. Los jóvenes serían estudiantes y en el personaje Soñador condensaría de algún modo la figura de un Dostoyevski adolescente y mexicano. Por la biografía del novelista ruso elaborada por Rafael Cansinos Assens sabía que Dostoyevski, en el tiempo en que escribió *Noches blancas,* se entregaba en la tertulia de Petraschevskii "al peligroso juego de las conspiraciones" contra el zar Nicolás I, a causa de lo cual fue encarcelado en la fortaleza Pedro y Pablo y estuvo a punto de ser pasado por las armas. De acuerdo con la exégesis de Orest Miller, un contemporáneo de Dostoyevski, Cansinos Assens veía en el Soñador de *Noches blancas* una clara alusión autobiográfica del joven Fiodor Mijailovich del año 1848 compartiendo sus actividades políticas con su aventura romántica. Apoyado en ese dato, resultaría válido entonces que el Soñador de mi adaptación mexicana fuera un joven ligado a un grupo de estudiantes terroristas.

Sin duda la idea era magnífica, pero mi versión cinematográfica falló lamentablemente. Pese a sus errores, Fernando Macotela aceptó el libreto y Raúl Zermeño se interesó en dirigir la película. Los planes del nuevo sexenio arrumbaron el guión. Nunca nadie volvió a ocuparse de aquellas noches blancas en un puente de peatones sobre el Periférico.

Justo por aquellos meses, en la mesa rinconera del restorán de los estudios Churubusco donde todas las mañanas el Indio Fernández cafeteaba con sus amigos, conocí al director José Bolaños. Más que del menú de los Churubusco, Bolaños se alimentaba de ilusiones y proyectos para filmar grandes películas. Debía su fama a *La soldadera* y hacía depender su futuro de una cinta sobre los tiempos de Maximino Ávila Camacho y de otra sobre *Pedro Páramo* en segunda versión. En lo que Rodolfo Echeverría daba el visto bueno a cualquiera de ambas —espaldarazo que se prolongaba interminablemente—, Bolaños había pensado, me dijo, montar una obra de teatro para romper la desesperante inactividad y ganar algún dinero. Si descubría una obra fácil, de pocos personajes, estaba dispuesto a jugarse su última carta económica en una puesta en escena. Necesitaba una obra donde pudiera intervenir su mujer, una bella actriz italiana que había trabajado, según Bolaños, en el Piccolo de Milán.

Como dije a Luis de Llano en 1963, como acababa de decir a Fernando Macotela, disparé el título:

—*Las noches blancas* de Dostoyevski.

Desde luego el papel de Nástenka exigía una actriz muy joven, pero Bolaños podía forzar las edades de los protagonistas como lo hizo Visconti en la versión cinematográfica de esa misma novela con María Schell y Marcello Mastroianni.

Conté la historia de *Noches blancas* a Bolaños. Le gustó.

—¿Existe una adaptación para el teatro?

—Yo la escribo.

En dos semanas, tratando de ceñirme fielmente al original de Dostoyevski, escribí jubiloso la adaptación. Cuando fui a los estudios Churubusco a buscar a José Bolaños, el director me dio la noticia: Rodolfo Echeverría acababa de aceptar el proyecto de *Pédro Páramo*, Juan Rulfo había autorizado el guión y él estaba ahora en los preparativos. Ya ni se acordaba de *Las noches blancas*.

Me di la media vuelta.

En el CADAC de Héctor Azar encontré a Sergio Jiménez. Le ofrecí la obra, le entregué una copia de mi original, y aunque Sergio Jiménez juró y perjuró que la montaría —está preciosa, es muy fácil, haré una gira por la provincia— nunca movió un dedo por *Las noches blancas*.

Quien prometió mover no sólo todos sus dedos, sino el cielo, el mar y la tierra para llevar a escena mi adaptación, fue Salvador Garcini. De teatro platicábamos en las locaciones de *Los albañiles*, la película que dirigía Jorge Fons y en la que Garcini interpretaba muy bien el personaje del plomero. Garcini no se conformaba con ser actor; quería sobre todo dirigir. Ya había montado en La casa del lago *El balcón* de Genet, y ahora hablaba de Shakespeare.

—Puros autores consagrados, claro —lo criticaba yo—; para ir sobre seguro.

—No —replicaba Garcini—, también pienso dirigir autores

226

mexicanos pero antes necesito probarme con los clásicos.

—Entonces *Las noches blancas*. Es Dostoyevski, siglo diecinueve.

Garcini leyó mi adaptación y fue cuando prometió mover el
cielo, el mar y la tierra para hacer una puesta en escena sensacional. Echaba a volar su imaginación: Veía al Soñador, al final
de la obra, tendido en mitad del escenario, junto al puente,
muerto de amor: del pecho le brotaba una rosa roja, enorme.

—¿No te parece una visión maravillosa?

Ahí mismo, en las locaciones de *Los albañiles*, Salvador Garcini se enteró de que José Alonso andaba buscando una obra
para actuarla y producirla en el teatro El Granero, y le habló de
Las noches blancas. Yo les propuse una lectura en mi casa, ambos
estuvieron de acuerdo, pero ninguno se presentó a la cita.

Cuando concluyó la filmación de *Los albañiles* dejé de ver a
Garcini. Pasado el tiempo se lanzó con Shakespeare, desde
luego. En el foro Sor Juana Inés de la Cruz montó *El sueño de
una noche de verano*. De vez en vez me lo encontraba disfrutando
su fama bien ganada de buen director: en la oficina de la
Sociedad General de Escritores, en el Lynnis de Insurgentes. . .

—No quito el dedo del renglón con *Las noches blancas* —me
dijo una mañana en el Lynnis—. Yo haré el papel del Soñador
y ella (la chica que lo acompañaba) hará la Nástenka. . . ¿No te
parece una preciosidad?

Quedó de telefonearme al día siguiente, pero no llamó.

Me llamó Margarita García Flores, directora del Departamento de Humanidades de la UNAM, para proponerme la
edición de *La mudanza* en la colección Textos de Teatro. Como
ya había comprometido *La mudanza* con Joaquín Mortiz, le
ofrecí *Las noches blancas* y la obra apareció publicada en unas
cuantas semanas. Pensé que el libro ayudaría a promover el
montaje y repartí volúmenes de mi adaptación teatral como si
fueran volantes. Ningún director, ningún actor, pescó el an-
zuelo. El más interesado fue Ricardo Blume, pero desistió apenas se dio cuenta de que el papel del Soñador requería a un
actor muy joven. También mi agente teatral Brígida Alexander
mostró interés en la obra, aunque no para promoverla como yo
imaginaba sino para actuar en el papel de la Abuela tan pronto

surgiera un proyecto. Prometí a Brígida exigir a cualquier posible productor, como condición del montaje, incluirla en el reparto. Cuando apareciera un productor, desde luego; es decir, tal vez nunca.

En mayo de 1980 volví a escuchar la voz de Salvador Garcini por teléfono:

—Es urgentísimo que vengas ahora mismo para acá, maestro, urgentísimo. Ya tengo un productor para *Las noches blancas*. Están dispuestos a soltarte catorce mil pesos en este momento, como anticipo de derechos.

Acompañado por Carlos Marín salí volando a la dirección que me indicó Garcini, en la colonia Cuauhtémoc. Ahí estaban las oficinas de una empresa denominada Grupo de Comunicación, cuyo presidente era José Sánchez Arellano, dedicada al parecer a filmar comerciales y documentales para cine y televisión. La empresa planeaba dar el salto al teatro llevando a escena en El Galeón, con la dirección de Garcini y una ambiciosa escenografía que incluía un planetario como bóveda, mi adaptación de *Las noches blancas*. Previo contrato que en ese mismo momento pergeñamos, cedí por un año los derechos de mi obra y recibí a cambio un cheque por catorce mil pesos.

Nada volví a saber de Grupo de Comunicación ni de José Sánchez Arellano. A Garcini lo encontré a fines de 1980 ensayando en el Juan Ruiz de Alarcón *El rey Lear* de Shakespeare. Andaba nervioso y preocupado por una escena que no podía resolver, pero alcanzó a decirme:

—Después de *Lear*, *Las noches blancas*, maestro.

—Llevas cuatro años con lo mismo.

—Ahora te lo juro.

Llegó 1981, año dedicado a conmemorar a Fiodor Mijailovich Dostoyevski en el primer centenario de su muerte, y los suplementos culturales empezaron a ocuparse del novelista ruso. En La casa del lago, dirigida por Eduardo Lizalde, se organizó para mayo un ciclo de conferencias que culminaría con una lectura en voz alta de mi adaptación teatral. Me invitaron a participar en el acto. Enrique Lizalde y Blanca Sánchez leerían los papeles del Soñador y de Nástenka y yo me haría cargo de las acotaciones. Sería una simple lectura informal.

Ningún funcionario de La casa del lago volvió a llamarme para confirmar el acto, pero gracias a la cartelera de la UNAM lo recordé yo mismo la víspera de la lectura anunciada. Era domingo a medio día. Con Estela y mis hijas me presenté en el salón principal de La casa del lago, frente a cuyas puertas se formaba una larguísima fila de espectadores aguardando entrar en el pequeño teatro. Enrique Lizalde en persona nos franqueó el paso. Desde los tiempos de Teatro Documental sólo nos habíamos encontrado en un par de ocasiones: él como líder del Sindicato de Actores Independientes sosteniendo una lucha sin cuartel contra la corrupción y el monopolio de la ANDA.

Lizalde sonrió con un dejo despectivo cuando supo que yo llegaba dispuesto a leer las acotaciones de *Las noches blancas*.

—¿Leer tú? ¿Pero quién te dijo?

—Eso me avisaron hace dos meses.

—No hombre —exclamó Lizalde—. Esto no va a ser una simple lectura. Es una puesta en escena de teatro en atril.

Me explicó en seguida que habían ensayado durante más de una semana y que el montaje incluía fondos musicales, efectos especiales y cambios de luces. Era toda una puesta en escena dirigida personalmente por él. Actuaban exclusivamente actores del SAI, desde luego: Lizalde como el Soñador, Blanca Sánchez como Nástenka, Enrique Rocha como Huésped, Eva Calvo como Abuela y Federico Romano como Narrador encargado de leer las acotaciones.

Minutos antes de entrar en escena Lizalde me informó además que había decidido hacer cambios a mi adaptación; a su estilo, es decir, sin tomarse la molestia de pedir de antemano mi autorización.

—¿Qué cambios? —pregunté, molestísimo.

—En lugar de tu final puse el final de Dostoyevski.

En la novela, muy al modo de la literatura del siglo diecinueve, Nástenka se despedía del Soñador escribiéndole una larguísima carta el día de su boda con el Huésped. En mi adaptación, yo tomé los conceptos esenciales de esa carta y resolví el final teatralmente —en el escenario donde se ha desarrollado todo el drama— haciendo que Nástenka se despida, ahí mismo y para siempre, del Soñador. Enrique prefirió transcribir íntegra la carta y dársela a leer al Narrador junto con algunos párrafos del epílogo. El resultado fue a mi juicio verborreico, pero ya era demasiado tarde para protestar y con Lizalde de nada hubiera servido.

Con todo fue un buen estreno de *Las noches blancas* de teatro en atril. Los actores dieron una segunda función en seguida, porque muchos espectadores se habían quedado sin entrar en la sala, y Enrique Rocha me informó días más tarde que se haría una tercera lectura por radio UNAM.

Desde luego no me di por enteramente satisfecho. Convencido de que el año del centenario de Dostoyevski seguía siendo una magnífica oportunidad para buscar un montaje en forma de *Las noches blancas*, y convencido además de que ni Garcini ni sus amigos del Grupo de Comunicación se encargarían de él —ya se había vencido el tiempo de la opción—, busqué otro director. Encontré a Alejandro Bichir quien de inmediato, optimista, planteó varias posibilidades para la puesta en escena: conseguir el teatro La capilla de Salvador Novo, conseguir El Galeón, conseguir el Eon, conseguir el Jesús Urueta, conseguir el Coyoacán. Terminó 1981, el año de Dostoyevski, y absolutamente nada consiguió Alejandro Bichir.

LA VISITA DEL ÁNGEL (1981)

Antes de leer *La mujer zurda* y *Desgracia inesperada* oí hablar de Peter Handke en 1973. Unas vacaciones de quince días me llevaron a Buenos Aires, y en dos semanas que me pasé viendo teatro y hablando de teatro con Oswaldo Dragún, Carlos Gorostiza, Jorge Hacker, me topé con la puesta en escena de *El pupilo quiere ser tutor* del escritor alemán. Se trataba de un experimento indeciso entre la pantomima y el realismo que presentaba el conflicto de un propietario agrícola con su peón prescindiendo en absoluto de los diálogos. La pieza recordaba al *Acto sin palabras* de Beckett, aunque su proclividad al realismo —nunca asumido del todo por Peter Handke, desgraciadamente— otorgaba al silencio una carga dramática impresionante. Lamenté que el dramaturgo alemán no hubiera orientado su búsqueda por el camino que él mismo sugería, y desde esa ocasión me planteé, como inquietud personal, lo que podría conseguirse con el tratamiento del silencio dentro del marco de un teatro naturalista: trazar, manejar, sorprender una situación cotidiana en la que los personajes se mantuvieran en silencio, no por imperativo del autor —como lo hacía Peter Handke— sino porque realmente nada tuvieran que decirse. La vida diaria ofrecía ejemplos abundantes de ese silencio espontáneo encajado, como violento contrapunto, en este mundo de ruido: el silencio de los pasajeros dentro de un autobús, el silencio de quienes forman cola frente a la ventanilla de un banco, el silencio de las antesalas. Ninguna de aquellas situaciones me acomodaba para construir una obra de teatro, y necesitaron transcurrir cinco años para descubrir al fin una escena —de tan común, tan oculta— capaz de iluminar claramente la vieja idea teatral masticada y remasticada por tanto tiempo. La escena ocurría en una banca del Parque Hundido donde una pareja de ancianos tomaba el sol, en silencio: ella tejía una pieza de estambre y él leía el periódico. Crucé varias veces frente a ellos y los espié desde un prado lejano: no, no hablaban, no necesitaban hablar. Así podían pasarse toda la mañana, toda la tarde, todo el resto de la existencia. Parecían haber llegado a una edad en la que ya no requerían palabras para comunicarse y vivir en perfecta armonía. Tras el descubrimiento me resultó fácil trasladar a la pareja de ancianos a una vivienda e inventar el pretexto dramático de una nieta parlanchina que llega un mediodía a visitarlos y a contrastar, con su discurrir imparable, el mutismo de los abuelos. Silencio y soliloquio: los dos extremos del fenómeno verbal. No necesitaba más para escribir una obra de teatro.

Iba a poner manos a la obra, a fines de 1979, cuando me telefoneó Manolo Fábregas. Quería hablar conmigo en su oficina del teatro San Rafael.

Mi relación con el actor, director y empresario era una relación superficial. Se reducía a encuentros y conversaciones ocasionales en las que Manolo Fábregas calificaba de mediocre la dramaturgia mexicana y se autoelogiaba por su labor de tantos años promoviendo un teatro para familias y montando las mejores comedias musicales de Broadway. Cuando alguien lo acusaba de malinchista él decía que no, que eso no era cierto; también había arriesgado su dinero y su prestigio montando obras nacionales como *El pequeño caso de Jorge Lívido* de Sergio Magaña y *El eterno femenino* de Rosario Castellanos, pero había fracasado y perdido dinero por eso, porque eran obras mediocres.

—Yo lo he comprobado personalmente —decía Manolo Fábregas—. En México no hay por desgracia un autor que pueda compararse siquiera con Neil Simon. —Reparaba de pronto en mi presencia y se ponía cortés—: ¿Tú nunca has pensado en escribir una comedia musical?

No se lo decía a Manolo Fábregas, pero desde luego que yo había pensado mil veces en incursionar en el género. Desde mis años adolescentes de vocación zarzuelera más de una vez garabateé en una libreta diálogos en verso y letras de canciones que soñaba convertir en una zarzuela que nunca llegó al final de su primer acto. También pensé más tarde en posibles comedias musicales luego de aplaudir *El hombre de la mancha, Mi bella dama, Hello Dolly, Jesucristo superestrella*... Para hacerlo hubiera necesitado la petición expresa de un productor porque a mi entender, dado el trabajo conjunto con un músico y con un

234

coreógrafo por lo menos, cualquier dramaturgo debía partir de un plan muy concreto, muy en firme, para lanzarse con eficacia a una aventura tan complicada.

Como la pregunta de Manolo Fábregas nunca pasaba de ser, evidentemente, una simple fórmula de cortesía, yo me ahorraba mi respuesta deseando que fuera él, algún día, quien me propusiera en serio la elaboración de una comedia musical. Suposición peregrina porque al actor, director y empresario, le sobraban obras que comprar en Broadway. Jamás se arriesgaría conmigo ni con nadie para montar una comedia original.

La llamada de Manolo Fábregas en los últimos meses de 1979 me hizo llegar al teatro San Rafael y sentarme en la oficina de quien se consideraba a sí mismo, sin modestia alguna, el más importante hombre de teatro en México. Ahí estaban si no, para demostrarlo, los carteles, los proyectos escenográficos, las placas de sus grandes éxitos, la fama, la historia, el gran teatro San Rafael sobre todo que él había construido sin parar mientes en gastos y deudas y donde ahora *El diluvio que viene* rompía récords de duración, de taquilla, de aceptación unánime.

Me parecía explicable que un escritor como yo se sintiera una hormiga sentado frente a aquel gigante del éxito.

—¿Un café?, ¿un coñac?

Interrumpido de continuo por llamadas telefónicas y entradas y salidas de actores y técnicos que participaban en *El diluvio que viene* —a todo mundo le urgía hablar con él— Manolo Fábregas dedicó la primera hora de nuestra entrevista a contarme la historia de sus triunfos, a decirme lo que el teatro le debía, a convencerme de que era un hombre serio, trabajador, leal, buen padre, magnífico esposo, millonario honrado, actor muy profesional, empresario generoso con sus actores, patrón justísimo con sus obreros, hombre íntegro en una palabra: de los que ya no hay. Ocupó otra media hora en hablar de *El diluvio que viene* como un hito de la escena nacional y en subrayar los millones de pesos que podía ganar el autor de una comedia musical montada por él.

—¿Otro coñac?

—Gracias.

—¿Te gustaría trabajar conmigo en una comedia musical

mexicana que pienso montar en julio de 1980? ¿Te gustaría escribirla?

—Desde luego.

—¿Otro café?

Manolo Fábregas contaba de antemano con mi aceptación pero quería plantearme sus condiciones porque el proyecto, dijo, necesitaba apoyarse en bases muy firmes que garantizaran un éxito tan grande como *El diluvio que viene*. La primera condición era el tema de la obra. No podía ser cualquier argumento. Él, gracias a su enorme experiencia, había pensado en uno que por sencillo y por rico podía contener todos los elementos indispensables para una comedia jubilosa y dramática al mismo tiempo. El tema provenía de una comedia de Carlos Arniches, *Las de Caín*, en la que el propio Manolo Fábregas había trabajado años atrás en el teatro Ideal. Trataba de las correrías de un padre de familia empeñado en casar a sus seis hijas.

Fábregas se puso de pie, fue hasta un mueble y regresó con un viejo libreto mimeografiado de *Las de Caín*. Me lo entregó.

—No se trata de que hagas una adaptación —me dijo— sino que tomes exclusivamente la idea de Arniches. Es lo fundamental.

La segunda condición era la época en que debería situarse la historia de un padre de familia tratando de buscar marido para sus hijas. Desde luego no podía ser en el tiempo actual. Fábregas pensaba en el porfirismo para imponer fácilmente un clima romántico y aprovechar la posibilidad de una música, de una escenografía y de un vestuario espectaculares.

Ésas eran sus dos únicas condiciones. Si yo las aceptaba podía y debía empezar a escribir de inmediato porque sólo nos separaban ocho meses de la fecha del estreno y se haría necesario aún pensar en un compositor, en un escenógrafo, en un arreglista musical y en un coreógrafo. A partir de un primer tratamiento que el propio Fábregas aprobara, yo trabajaría luego con todos ellos en forma conjunta.

—¿Estás de acuerdo?

Nada tenía contra el tema —yo también era padre de cuatro hijas—, pero me preocupaba que la época porfirista en la que debería situar la historia me hiciera caer en una exaltación reaccionaria de los tiempos del dictador. A menos, claro está, que eligiera las vísperas del estallido revolucionario y pudiera plantear la decadencia de aquella sociedad privilegiada. Esa situación aportaría de suyo, pensé, el condimento dramático indispensable. Así se lo propuse de inmediato a Manolo Fábregas.

—Claro que sí, claro que sí —me respondió el actor, director y empresario—. Tú puedes manejar la historia como quieras.

Antes de despedirnos me sugirió que hiciera intervenir niños en mi argumento, porque eran un factor de éxito garantizado, y me pidio mantener absoluta discreción sobre el asunto: daríamos la noticia a pocas semanas del estreno con un enorme aparato publicitario: la primera gran comedia musical mexicana en el teatro San Rafael.

Salí de la oficina de Manolo Fábregas cargando sobre mi cabeza el cántaro de la lechera.

Mi entusiasmo estuvo muy lejos de contagiar a Estela. Ella sabía de mi interés por escribir una comedia musical y le parecía muy bien que surgiera una oportunidad para hacerlo, pero desconfiaba de Manolo Fábregas, no sólo por su fama de hombre prepotente y abusivo, sino porque me había propuesto el negocio como si yo fuera un escritor aficionado, dijo Estela: en ningún momento me habló de firmar un contrato, ni siquiera planteó la posibilidad de un anticipo económico que garantizara el tiempo y el esfuerzo que yo iba a dedicar a la comedia y que a él lo comprometiera con su propuesta.

—¿Y si te deja colgando?, ¿si te hace trabajar en balde?

—Nunca. Él está tan interesado como yo.

No quise escuchar más las razones de Estela. Subí al estudio, hice a un lado a la pareja de ancianos silenciosos y a su nieta parlanchina y me puse a leer la comedia de Arniches.

Era una comedia malucha de la que no aproveché una sola idea. Me quedé con la simple situación de un hombre viudo, padre de tres hijas, y sobre ella tejí toda una maraña de amores y desamores románticos, intrigas revolucionarias y conflictos ideológicos y políticos del protagonista. Escribiendo la letra de trece canciones y barajando dos o tres posibilidades de cómo incorporar a la obra los personajes infantiles, me llevé más de los dos meses calculados para el primer tratamiento. Manolo Fábregas me telefoneaba cada quince días para urgirme. Sus llamadas eran una presión molesta pero al mismo tiempo una garantía de su interés. No me iba a fallar. Podía sentirme tranquilo.

Al fin terminé la primera versión. Bauticé a la obra con el título *Las hijas de don Martín*, mandé sacar cinco copias xerox y me cité con Manolo Fábregas en el teatro San Rafael para una lectura.

Era martes. Al terminar la segunda función de *El diluvio que viene*, luego que el actor, director y empresario soltó una terrible reprimenda al técnico responsable de no haber echado a andar a tiempo el giratorio para la escena final, subimos al lujoso departamento que Manolo Fábregas había construido en la planta alta del teatro, cerca de la cabina de luces. Era un penthouse con una recámara y todos los servicios; el piso estaba salpicado de alfombras persas y en el centro de la estancia colgaba un óleo de Virginia Fábregas pintado por Saturnino Herrán.

Manolo Fábregas sirvió whiskies y yo eché a andar la lectura en voz alta.

La pieza estaba excedida en tiempo: un cálculo conservador permitía suponer que tal como estaba la puesta en escena tendría una duración de cuatro horas y pico. Según Manolo, ése era un problema menor porque fácilmente se podrían hacer ajustes. Lo grave, en todo caso, era que tal como yo las había manejado las canciones funcionaban más al estilo de una zarzuela que de una comedia musical. La diferencia entre ambos géneros era importante, dijo el actor, con sabiduría de experto. Mientras que en la zarzuela los números musicales son un simple subrayado de la acción, en la comedia musical —agregó, didáctico— las canciones forman parte fundamental de la trama: desarrollan una escena, proporcionan información.

Desde esa óptica necesitaría corregir varios de mis cuadros, al mismo tiempo que reforzaba a éste o a aquel personaje, desplegaba mejor ésta o aquella escena y daba al final un

238

tratamiento más definitivo. Para asumir mejor el ambiente provinciano que envolvía a mi historia, él me recomendaba, además, situarla en la ciudad de Puebla en lugar de la ciudad de México.

Consideré muy atinada casi todas las observaciones de Manolo Fábregas y cuando salimos del teatro San Rafael, a las dos y media de la mañana, él parecía bien impresionado. Para ser un primer tratamiento está más que bien, me dijo, al abordar su auto:

—Lo que tienes ahora es un sesenta, un setenta por ciento de la obra. A mí me bastaría con eso para montarla, pero pienso que puedes mejorarla muchísimo. Recuerda que tenemos que hacer una comedia excepcional y llevarla luego a Broadway, a Londres.

Mientras el actor, director y empresario prometía hablar con Nacho Méndez y con Antonio López Mancera, a quienes pensaba contratar como compositor y escenógrafo, respectivamente, yo me puse a trabajar un segundo tratamiento pensando que el cántaro de la lechera se mantenía más afianzado que nunca a mi cabeza. En un par de ocasiones más vi a Manolo Fábregas para someter a su consideración el esquema de algunas rectificaciones, y una vez aprobadas me entregué por entero al trabajo.

Se lo leí en su oficina del teatro San Rafael, luego que me hizo aguardarlo hora y media, apenadísimo conmigo, me dijo después, porque se había visto obligado a recibir de improviso al arquitecto que proyectaba, por órdenes de doña Carmen Romano de López Portillo, un teatro en las afueras de Guanajuato del que Manolo Fábregas fungía como asesor.

La lectura de mi segundo tratamiento de *Las hijas de don Martín* sólo mereció objeciones de detalle. Para el actor, director y empresario la obra estaba prácticamente terminada. Ahora procedía pensar en una coreógrafa, que él traería especialmente de Nueva York, y realizar entre tanto una lectura ante Nacho Méndez y Antonio López Mancera para que ellos nos dieran sus puntos de vista.

—¿Te parece bien que hagamos la lectura el próximo domingo?

—Muy bien.

—Voy a citar a Nacho Méndez y a López Mancera. Te hablo el sábado, para confirmar.

Llegó la noche del sábado, y como Manolo Fábregas no me telefoneaba lo llamé yo, al teatro. Se mandó disculpar. Estaba ocupado con unos empresarios ingleses que habían ido a conocer el San Rafael. Él me llamaría después. No me llamó esa noche, ni el domingo, ni en toda la semana siguiente. Mis llamadas rebotaban como si fueran de hule:

—No está. Salió.

—Anda en la bodega.

—Deje por favor su recado.

Telefoneé entonces a Nacho Méndez a quien conocí cuando era vecino de Gustavo Sainz, en el edificio de Nazas. Nacho Méndez me informó que en efecto Manolo Fábregas le había propuesto componer la música de una comedia que yo estaba escribiendo. Aceptó en principio. Estaba pensando incluso en algunos temas musicales y sí, él no tenía inconveniente alguno en asistir a una lectura de mi obra el día que Manolo Fábregas fijara.

Mi breve conversación con Nacho Méndez me tranquilizó. Al menos el actor, director y empresario no había mentido respecto a su propuesta al compositor. El aplazamiento de la cita se debía seguramente a ocupaciones eventuales, no a un repentino desinterés.

Durante la segunda semana de espera insistí a telefonazos en el San Rafael, y al fin tuve la suerte de que Manolo Fábregas tomara la bocina. Oí su voz:

—Lo que es la telepatía, caray. En este momento, justo en este momento estaba por marcar tu número, Vicente.

Ante todo, se disculpaba conmigo por su silencio, pero la presencia súbita de los empresarios ingleses lo había mantenido terriblemente ocupado. Ahora ya estaba libre y podíamos organizar la lectura con Nacho Méndez y Antonio López Mancera cualquier día de la semana.

—¿Qué te parece este domingo a las diez de la noche? —me dijo.

—Me parece muy bien.

—Te hablo el sábado para confirmar.

Nunca más volví a recibir un telefonema de Manolo Fábregas. Se olvidó de mí, como si me hubiera muerto.

Cuando comenté mis desventuras con Miguel Ángel Infante, un actor que también había sido víctima de los engaños del empresario, Infante me dijo, sonriendo:

—Es el típico estilo de Manolo Fábregas. Así es como acostumbra zafarse de sus compromisos.

—Me hubiera podido decir que mi obra no le convencía, que le parecía pésima. Con eso me hubiera conformado.

—Cuando se raja, Manolo Fábregas nunca da la cara —dijo Miguel Ángel Infante—. Es un perfecto cabrón.

Alcé los hombros, moví la cabeza, y el cántaro de la lechera se añicó en el suelo.

Regresé a mi pareja de ancianos y a su nieta parlanchina. Ahí estaban, donde los dejé ocho meses antes: el par de abuelos silenciosos en su vivienda: ella cocinando, él leyendo el periódico; la nieta parlanchina a punto de llegar de visita.

Auxiliado por Estela y por un libro de recetas de cocina de Teresa Calleja y Gloria Sosa donde se detallaba la confección de una sopa de verduras, cronometrando los tiempos que se requerían para pelar zanahorias o lavar platos, midiendo las acciones del trajín culinario, dibujando planos, trazando croquis de las distintas tareas de los ancianos, escribí la pieza —varios borradores parciales y un original— en poco menos de tres meses. No hallé de momento un título adecuado. Primero le puse *Larga pausa*, y a reserva de encontrar uno mejor me decidí por *El fin y el principio* que aludía, según yo, tanto a las dos generaciones ejemplificadas en la obra como a los dos géneros teatrales involucrados: el realismo y el absurdo.

Se la llevé a Ignacio Retes. Desde que la escribía pensé en el buen amigo, en el gran director que confió en mí cuando empezaba y a quien le debía la mayor parte de las puestas en escena de mis obras. Nunca tropecé con él. De algún modo *El fin y el principio* —de la que me sentía sumamente satisfecho— representaba de mi parte un homenaje de agradecimiento a un hombre de teatro insuficientemente valorado por la comunidad artística. Quería además, como un requisito, que él interpretara al personaje del Abuelo. Así se lo dije cuando le entregué la obra.

Esta vez no me hizo comentarios después de la lectura, pero su decisión de empezar a buscar de inmediato la manera de montarla fue más que elocuente.

—Teatro de la Nación —me dijo Retes—. Vamos hablando con Carlos Solórzano.

Retes pensaba en el Xola, que ahora se llamaba Julio Prieto aunque nosotros continuábamos diciéndole teatro Xola, por más que yo trataba de hacerle ver que esta obra exigía una sala pequeña e íntima donde el público estuviera muy cerca de los actores: un teatro círculo como El Granero o cualquiera de las reducidas salas de la UNAM. No, replicaba Retes, el Xola. Él podía resolver fácilmente el problema de la intimidad modificando el escenario como lo había hecho con el Reforma cuando montó *La carpa*, ¿ya no me acordaba?

Estábamos a buen tiempo para solicitar el Xola —el local que Teatro de la Nación dedicaba para las obras de dramaturgos nacionales— porque Carlos Solórzano, al parecer, no había elegido aún la obra que abriría la temporada 1981.

Retes puso el libreto de *El fin y el principio* sobre el escritorio del director de Teatro de la Nación. Solórzano me echó encima la mirada:

—¿Otra obra, Vicente?

—Otra obra.

—Pero si acabas de estrenar con la Compañía Nacional...

Era cierto. En agosto se había estrenado *Alicia, tal vez* en el Jiménez Rueda y ahora yo recurría a la otra empresa oficial buscando sólo mi beneficio. ¿En qué estaba pensando? ¿Quería monopolizar las salas de México? ¿Quería ser el único autor mexicano que estrenara obras?

No fueron éstas las palabras exactas de Carlos Solórzano, pero sí la intención que traduje de las frases amables con que el director de Teatro de la Nación expresó su extrañeza ante mi libreto. Contra esa impugnación, nada podía yo replicar sin peligro de parecer petulante. Pero mi respuesta era obvia y de algún modo la formuló Retes. Escribía teatro porque me interesaba el teatro y nada tenía de impúdico que intentara estrenar cada una de las obras que escribía. Estaba en todo mi derecho de buscarles salida, de no dejar que se arrumbaran en el fondo de un cajón.

Carlos Solórzano entendía desde luego mi postura, pero nosotros necesitábamos entender también que él, como responsable de una empresa oficial, estaba obligado a contemplar el teatro mexicano con una perspectiva más amplia, a la luz de lo que ocurría en el medio. Si ya la Compañía Nacional de Teatro estaba subvencionando a los dramaturgos y estrenando sus obras más recientes, él, Solórzano, Teatro de la Nación, necesitaba dedicar su atención a la dramaturgia mexicana de épocas anteriores que el nuevo público debía conocer o revalorar. De ahí que pensara abrir la temporada de 1981 en el Julio Prieto reponiendo *La hiedra* de Xavier Villaurrutia.

—Se acuerdan de *La hiedra* ¿verdad? —preguntó Solórzano—. Una paráfrasis de *Fedra* de Racine.

Retes meneó la cabeza y yo me guardé lo que pensaba de *La hiedra* y de casi todo el teatro de Villaurrutia. Salvo algunas obras en un acto, lo demás era un teatro lamentable.

Solórzano nos despidió cortésmente: prometió leer *El fin y el principio* y darnos, hasta entonces, una respuesta definitiva.

—Cuando lea la obra va a cambiar de opinión —me dijo Retes al salir.

Desde luego Solórzano no alteró sus puntos de vista. Recibió a Retes en una segunda ocasión, le expresó su extrañeza de que yo andara, a estas alturas, haciendo experimentos teatrales, y terminó estrenando *La hiedra* en el Julio Prieto.

Se acercaba diciembre cuando decidí enviar *El fin y el principio* a un concurso. Se lo dije a Retes.

—Pero qué va a hacer usted en un concurso, caray —replicó el director luego de papalotear las cejas.

La organización nacional del Festival Cervantino, que como todos los años habría de celebrarse en Guanajuato durante abril y mayo, había convocado a un concurso de obras teatrales cuyo único premio consistía en la puesta en escena de la pieza premiada durante las jornadas del Festival. Por eso me interesaba el concurso: porque se garantizaba un montaje. Si *El fin y el principio* recibía el premio no resultaría difícil conseguir que

243

Ignacio Retes se encargara de la dirección. La obra se estrenaría entonces en Guanajuato, y una vez puesta sería relativamente sencillo también gestionar un teatro en la capital y echar a andar aquí una temporada.

A Retes no lo convenció mi razonamiento, pero se resignó:

—Como usted quiera.

Envié *El fin y el principio* al concurso del Festival Cervantino con el mismo seudónimo, *Gregorio*, con el que veintitrés años antes gané un concurso universitario de cuento. Ahora no recibí siquiera una mención. José Solé, Luis de Tavira y Pablo de Ballester, los miembros del jurado, premiaron una obra que se presentó anteriormente en el concurso organizado por el gobierno de Baja California Norte y que Héctor Azar, Fernando de Ita y yo —jurados de este evento— desechamos en la ronda final de selección. La obra se llamaba *Rubén Jaramillo* y estaba firmada por *Juan Rusko*. Finalmente no dieron el premio del Festival Cervantino a *Rubén Jaramillo* porque al abrir los sobres de identificación se descubrió que el autor era extranjero y el concurso estipulaba que sólo podían participar dramaturgos nacionales. Solé, Tavira y Ballester premiaron entonces la obra finalista, *La antorcha de Ulises*, de José Antonio Martínez Álvarez.

Derrotado en el concurso regresé con Ignacio Retes a emprender nuevas gestiones para conseguir un teatro.

—¿Ya ve? Se lo dije.

Me gustaba el foro Eón, un pequeño teatro que Sergio Bustamante y Mónica Miguel acababan de inaugurar en la sede de una escuela para actores en la calle Nuevo León. Lo estrenó el propio Sergio protagonizando a Giordano Bruno en *El hereje* de Morris West. Cuando fui a ver la obra hablé brevemente con Bustamante y él me ofreció todo género de facilidades para estrenar ahí lo que yo quisiera.

A Retes le pareció una pésima idea. El Eón podía ser una bonita sala, muy adecuada tal vez para *El fin y el principio*, pero meterse ahí era enfilarse derecho a un fracaso, me dijo. Era un teatro nuevo, muy pequeño, desconocido para el público y sin cartelera garantizada en los diarios.

—Si nos vamos a decidir por una sala chica —dijo Retes—,

244

tendrá que ser por fuerza un teatro de la UNAM.

Yo pensaba que la UNAM era imposible. Con anterioridad había semblanteado a Cuauhtémoc Zúñiga, jefe del Departamento de Teatro, y el plan de Zúñiga para 1981 consistía en estrenar las obras de los nuevos dramaturgos que no habían recibido aún suficientes oportunidades: Carlos Olmos, Víctor Hugo Rascón, Leonor Azcárate... El plan era de absoluta justicia y me eliminaba automáticamente, sobre todo tomando en cuenta que la UNAM ya me había estrenado *La mudanza* en 1979. Como funcionario, Cuauhtémoc Zúñiga aplicaba la misma lógica que Carlos Solórzano. Era su deber.

A Retes lo tenían sin cuidado esas consideraciones y desde luego no pensó en parlamentar con Zúñiga. Decidió apuntar más arriba: a la torre de Rectoría. Aprovechando que su cuñada Lilian Balzaretti —Maite, como le decíamos todos— acababa de ser nombrada secretaria privada del nuevo rector Octavio Rivero Serrano, Retes consiguió a través de ella una cita con Fernando Curiel, director de Difusión Cultural, en la que planteó nuestro proyecto y le entregó una copia de *El fin y el principio*.

A Curiel le bastó con leer mi obra —me dijo después, generosamente— para decidir que debería montarse en el foro Sor Juana Inés de la Cruz del Centro Cultural Universitario. Pese a su alto cargo en la UNAM, y de manera insólita en un funcionario, Curiel me llamó por teléfono no sólo para comunicarme su decisión sino para comentarme la obra. Le había encantado el experimento, me dijo. Entendía perfectamente el manejo contrapunteado del silencio y del soliloquio y muy eficaz el trazo de los ancianos esperando a la nieta que llegaba a su casa como la visita de un ángel.

La expresión de Fernando Curiel no me pasó desapercibida. Sin proponérselo, el director de Difusión Cultural acababa de darme no solamente una gran satisfacción por sus comentarios, sino el título que tanto había buscado. Desde ese día empecé a llamar a mi obra *La visita del ángel*.

La orden desde arriba molestó de seguro a Cuauhtémoc Zúñiga, pero nunca me lo hizo saber. Para realizar su montaje, Retes prescindió casi por completo de él: eligió a Myrra Saavedra en el papel de la nieta Malú luego de probar a cinco jóvenes actrices; para la Abuela barajó los nombres de Isabela Corona, Virginia Manzano, Anita Blanch y Brígida Alexander, y se quedó finalmente con Carmelita González. Carmelita estaba fuera de edad, no era suficientemente anciana, pero tenía la virtud, muy importante para la obra, de ser una cocinera experta y estar acostumbrada a realizar las tareas culinarias con extrema meticulosidad. Gracias a ello su trabajo adquirió toda la exacerbación que el texto exigía. Desgraciadamente, en el curso de las funciones, Carmelita no supo mantener el mutismo de su personaje. A las quince únicas frases que decía en toda la obra, agregó chascarrillos, gags, preguntas y comentarios inútiles, y de nada sirvieron las llamadas de atención de Retes ni mis propias advertencias: ella prometía contener a su personaje, pero una vez en el foro volvía a las andadas y no paraba de hablar. Quien resultó una revelación para los que nada sabían de su calidad como actor, fue Ignacio Retes. Hizo un Abuelo maravilloso, concentrado, impresionante: un personaje mejor de lo que yo había imaginado. También su dirección fue exactísima, y yo me felicité de volver a trabajar con un hombre que sabía respetar al detalle un texto literario e interpretar muy bien mis propuestas.

Alejandro Luna fue el escenógrafo. Más que limitarse a decorar el foro Sor Juana Inés de la Cruz, Luna construyó prácticamente el espacio escénico. Igual que con *La mudanza* —éstas son obras para espiarse, dijo— acomodó y conformó en un rincón del foro la vivienda de los ancianos con un realismo tan escrupuloso que Guillermo Sheridan dijo que la escenografía de Alejandro Luna merecía trasladarse intacta al Museo de Arte Moderno.

El estreno de *La visita del ángel* ocurrió el 13 de agosto de 1981, y desde esa primera función se dividieron las opiniones de espectadores y críticos.

A Héctor Mendoza le pareció una obra extraordinaria, a Guillermo Sheridan execrable, a Malkha Rabell interesante. Luisa Josefina Hernández abandonó el teatro al terminar el primer acto, y aunque Esther Seligson y Emilio Carballido elogiaron el experimento, pusieron serias objeciones, como muchos otros espectadores, al remate de la pieza: la muerte súbita del Abuelo.

El seis de diciembre de 1981 *La visita del ángel* llegó a sus cien representaciones en el foro universitario. Invitamos a Héctor Mendoza a develar la placa conmemorativa, pero Mendoza no se presentó. Una espectadora —la primera persona que levantó la mano cuando Alejandro Luna hizo la invitación al público— avanzó hasta el foro y corrió la cortinilla.

Continuará

PUEBLO RECHAZADO
— En *Revista de la Universidad*. Vol. XXII, No. 9. México, Mayo de 1968. (Separata) Págs. I a XVI.
— Serie Poesía en el mundo, No. 64. Ediciones Sierra Madre. Monterrey, 1969. 44 págs.
— Cuadernos de Joaquín Mortiz. México, 1969. 91 págs.
— En *Teatro mexicano 1968*. Editorial Aguilar. México, 1974. Págs. 105 a 153.
— En *Teatro documental de Vicente Leñero*. Col. Terra Nostra No. 2. INBA y V siglos, editores. México, 1981. Págs. 7 a 68.

LOS ALBAÑILES
— Teatro del volador. Editorial Joaquín Mortiz. México, 1970. 121 págs.
— En *Teatro mexicano del siglo XX*. Tomo 4. Letras mexicanas. Editorial Fondo de Cultura Económica. México, 1970. Págs. 417 a 482.
— En *Teatro mexicano 1969*. Editorial Aguilar. México, 1972. Págs. 33 a 100.

COMPAÑERO
— En revista *Diálogos*. Vol. 6, No. 2 (32). México, marzo-abril 1970. Págs. 14 a 27.
— En *Teatro mexicano 1970*. Editorial Aguilar. México, 1973. Págs. 191 a 243.
— En *Teatro documental de Vicente Leñero*. Col. Terra Nostra No. 2. INBA y V siglos, editores. México, 1981. Págs. 69 a 116.

LA CARPA
— En *Teatro mexicano 1971*. Editorial Aguilar. México, 1974. Págs. 31 a 101.

EL JUICIO
- Teatro del volador. Editorial Joaquín Mortiz. México, 1972. 119 págs.
- En *Teatro documental de Vicente Leñero*. Col. Terra Nostra No. 2. INBA y V siglos, editores. México, 1981. Págs. 117 a 207.

LOS HIJOS DE SÁNCHEZ

LA MUDANZA
- Teatro del volador. Editorial Joaquín Mortiz. México, 1980. 123 págs.

ALICIA, TAL VEZ

LAS NOCHES BLANCAS
- Textos de teatro, No. 14. Difusión cultural, UNAM, editores. México, 1980. 47 págs.

LA VISITA DEL ÁNGEL
- Textos de teatro, No. 16. Difusión cultural, UNAM, editores. México, 1981. 73 págs.